# 子ども
# コンプラ
# イアンス

著 山本一宗
（讀賣テレビ放送株式会社）

イラスト どんぐり。

# はじめに

## みなさんは、一日に どれくらいのじょうほうに ふれていますか？

こう聞かれても「そんなこと考えたことないよ」「多すぎて分からない」と思う人や「じょうほうってなに？」と思う人もいるでしょうね。

私が小学生のころは、じょうほうと言えば「テレビ」「ラジオ」「新聞」「本・ざっし」、それに学校・塾での「授業」や友だちとの「お話」くらいでした。でもいま、みなさんはスマホやタブレット、PCなどの道具がてがるに使えて「WEB」「SNS」「AI」「動画」「■■教室」「オンライン●●」など、数えきれないほどたくさんのじょうほうにふれることができる時代を生きているのです。

私は、テレビ局でやく35年はたらいています。さいしょはスポーツちゅ

うけいを作ったり、ニュースの記者として大きなじけんのしゅざいをしたり「ミヤネ屋」「ウェークアップ」という番組を作ったりしていました。そしてさいきんは、番組を作るのではなく、放送全体がきちんとしたないようで作られているか、ほうりつにいはんしていないかをチェックする「考査（こうさ）」という仕事をしています。

ほとんどの番組はきちんと作られているのですが、ときどきテレビを見ている人から「こんなことを放送していたけど、●●なほうりつにいはんしているんじゃないか」「■■と言っていたけどまちがっているのでは」などと言われることがあります。放送局は「まちがったことを放送してはいけない」というほうりつもありますし、なによ

2

り見てくださっている人たちの「しんらい」をなくさないために、こういった「ほうりついはん」や「まちがい」のないように、チェックしたり番組を作る人にアドバイスをしたり……そんな仕事をしています。

　でも、インターネット上では「ホント？　だれから聞いたの？　だれが言ってたの？」「これは●●というほうりつにふれるんじゃないの？」「そんなひどい言葉、使っていいの？」といったチェックされていないじょうほうやえいぞう（動画）がものすごくふえています。人のことを悪く言ったり、やってはいけないと分かっているめいわくなことを動画でアップしたり、みせい年者がネットで知り合った人と会ってあぶないことにまきこまれたり、ゲームにむちゅうになりすぎてお金を使いすぎてしまったり……じけんがたくさんおきています。

　だから、じょうほうの「受け手」にも「送り手」にもなれるみなさんは、「ウ

ソ」や「問題のある」じょうほうを見ぬいて本当にしんらいできるじょうほうを見つけ、していいことといけないことをしっかりはんだんする力がひつようになってきているのです。

　学校でも教えてくれているようですが、こういった力（スキル）がこれからの時代はどんどん大事になっていくはずです。

　この本では、私がテレビ局ではたらいてけいけんしたことをもとに、じょうほうを正しくりかいしうまく使いこなすこと、そしてじょうほうによって自分でしっかり考えてはんだんするために知っておいたほうがいいことを、4つの章に分けてお話ししています。

　ここでのお話をきっかけに、みなさんが日々ふれるじょうほうの見方をアップデートして役立ててもらえれば、こんなにうれしいことはありません。

2023 年 3 月
讀賣テレビ放送株式会社
ESG 推進局専任局次長

山本　一宗

# もくじ

君の考えは
まちがっている。

ほうりつ

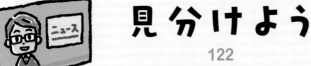

# 第 1 章 人をきず

# つけない

**Q** これってなんで？

# 意見がちがうのは
# はずかしいこと？

クラス会で意見を言ったら
だれもさんせいしてくれず、
なんだかはずかしかったよ……。

## A 意見は「人それぞれ」。

勇気<sub>ゆうき</sub>を持ってみんなの前で
意見を言うことはすばらしいこと。

学校のじゅぎょうや学級会でなにかを話し合うとき、いろいろな意見が出ることがあると思います。もしかしたら反対意見が出なかったり、自分の考えはマイナーな意見だと考えてだまってしまったり、自分の意見をうまく言えないままだったりして、ほかの人の意見のままものごとが決まってしまう……なんてことがあったりするかもしれませんね。大人でも同じように、はずかしいし意見を言うのが苦手……という人がいます。

**でも、よく考えてみてくださ**い。人はひとりひとりがいろいろな意見を持っていることは当たり前ですし、みんなが同じ意見を持つひつようはないのです。もしかしたらその少ない意見のほうが大事だったりすることもあるかもしれません。

だから話し合いで**「わたしはこう思う」**とちがう意見を言うことは、他の人にとっても**「そんな意見があるんだ」**という気づきになる、とても大事なことなのです。勇気をもって、ちがう意見を言えることはすばらしいと思います。

こんな時に使えるコトバ

# マイナー（マイノリティ）

「数が少ない」人たちやグループをさす言葉。また、アメリカプロ野球メジャーリーグの下にあたる「マイナーリーグ」のように、「あまり知られていない」「大事にされていない」という意味にも使われる。

また「マイノリティ」とは、そういった「マイナー」な人びとと、人たちという意味の言葉。

# ほかの人の意見を
# 聞くことは大切！

ぼくが言った意見、
クラスのみんなに
反対されちゃった。
すごくはらが立つなぁ。

## A
## 意見はみんな
## 同じじゃないよ。

みんなが反対したわけを
考えてみよう。

自分の意見が通らないと、きっとおもしろくないですよね。でも、ひとりひとりにこせいがあるように、考えや意見もみんな同じっていうことはありません。

どうして反対されたのか、おちついた気持ちで、ちがう人の考えを聞いてみてはどうでしょう。なにか気づくことがあって、自分の考えがかわるきっかけになるかもしれません。

いま SNS などでは、ちがう意見やマイナーな意見を「それはおかしい」「バカじゃないの?」とよってたかってダメだと決めつけ、言葉のぼう力でその人をきずつけるようなことがあります。相手の顔が見えないので、どんなことでも言いやすいと考える人が多いのかもしれませんが、これはあってはならないことなのです。

**大事なのは、自分とはちがう意見をしっかり聞いて、自分の意見とどこがどうしてちがうのかをれいせいに考えることなのです。**

こんな時に
使えるコトバ

# メジャー（マジョリティ）

「マイナー」とは反対に、数が多い「人たち」や「グループ」をさす言葉。また「メジャーリーグ」のように、数が多いという意味ではなく「すぐれている」「じゅうような」「中心にいる」をさす言葉としても使われる。「マジョリティ」とは、そういった「メジャー」な人たち、人びとという意味の言葉。

11

# 話し合いは
# ケンカじゃないよ

「学校と塾、どっちが大事？」って
クラスで話し合ったら
意見がまとまらず
ケンカみたいになっちゃった……。

## A

ケンカは
ダメだけど、
人の意見をじっくり
聞いてから自分の考えを
見つめてみよう。

ひとつのテーマを決めてしっかり話し合う「とうろん（討論）」「ディベート」のときには、多くの人からいろいろな意見が出ることがあります。ある人の意見に対して、ちがう見方や意見をたたかわせて、聞いている人もふくめてさいしゅうてきにどちらの意見に決めますか？　さんせいしますか？　と聞いて、けつろんを決めることもあります。

このようなときには「わたしはあなたの意見には反対です、なぜなら〜」というような言葉を口にすることにもなり、心がいたんだり、言い合いのケンカのようになるかもしれませんね。

でも、こうやって意見を出し合うということは、**人によってものの見方がちがう、大事に考えるものごとが自分やほかの人とちがうことを気づかせてくれる、大きなきっかけになるのです**。自分の考えがまとまっていない人は、いろいろな意見を聞いているうちに自分の考えをまとめることができますし、意見を出した人も「そうか、そういう考えも大事だな」と思えるきっかけになるかもしれません。

こんな時に
使えるコトバ

# ディベート

あるテーマを決めて、さんせい・反対にわかれて意見をたたかわせて話し合うこと。
「立論（りつろん）」「質疑（しつぎ）」「反駁（はんばく）」「最終意見（さいしゅういけん）」などにわけて時間を決め、こうごに意見を出し合い、さいごに勝ち負けを決めることもある。

これってなんで？

# 意見がちがう友だちとはなかが悪くなる？

じゅぎょうで
意見のちがう友だちと
とうろんしたんだけど、
あれからなんだか
気まずくなっちゃった……。

**A**

# 人がもっている意見とその人のせいかくはべつ。

気にしないで話してみよう。

おたがいしっかり意見を言い合ってぎろんがもりあがったかもしれませんね。どちらも自分が正しいと思って意見を言うから、言い合いのように感じるやりとりになったかもしれないけれど、そうやって相手の考えを知れたことはとてもいいことだと思います。なにより大切なのは、**ちがう意見を知ることでそのテーマについてべつの見方で考えられることです。**

そしてぎろんの後は、その人や考えに対してイヤな思いを持ったりなかたがいや言いあらそいをしたりするのではなく、「そうやって考える人もいるんだ」とみとめ、意見とその人のせいかくはべつだと考え、ふだんと同じように話したりつきあったりすることです。

世界には、国がもつ考えとちがうという理由で、自分の意見や考えを言うことができない国があったりします。自由に自分の考えを言えることこそがすばらしいことであり、そのことで考えや見方が広がっていくようになれば、それはきっと大人になって役に立つと思います。

# 太っているのは
# 悪いこと？

友だちに「デブ」って
言われちゃった……。
やせたカッコいい人に
なりたい！

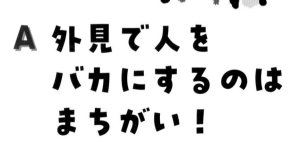

# A 外見で人を
# バカにするのは
# まちがい！

「やせないとダメ」と思いこまないで。

友だちに「デブ」「ブサイク」などひどい言葉を言われてきずついた、あるいは言ってしまってこうかいした……。そんなことがありますか？

「ルッキズム」という言葉があります。もともとは「体の外見（ルックス）を大切にする考え方（〜イズム）」という意味なのですが、最近は「外見だけでほかの人をいい悪いなどと決めつけたりさべつしたりする」という、よくない意味で使われています。

いま世の中には、その「ルッキズム」につながるような「もっと体の◎◎がこうなれば外見がよくなる……」といった、人が感じがちな【こだわり（コンプレックス）】や【ちょっと気になる思い】にこたえるじょうほう、商品やサービスが多くそんざいしています。

SNSやネットで「すぐにやせる！　ウエストマイナス◎センチ！」といった広告を見たことはありませんか？　本当に「けんこうのためにやせたい」と思っている人はいいのですが、そうではなくて「◎◎でないとダメだ！」という考えをおしつけてくることにつながるじょうほうが世の中にはあるので、そういった思いこみには気をつけるひつようがあるのです。

こんな時に
使えるコトバ

# ルッキズム

その人がどれだけすばらしいか、どれだけ大切かを考えるときに、見た目や外見がいちばん大事だと考えるものの見方。いきすぎたルッキズムは、人をまちがってはんだんしたり、さべつしたりすることにつながるので注意がひつよう。

# Q これってなんで？

# 「色が黒い！」「毛深い！」はダメなこと？

友だちに「色が黒い！」「毛深い！」って言われちゃった……。早くなおしたいなぁ。

# A おちついて考えてみよう。

それってホントに
ダメなことなのかな？

友だちにそんなことを言われたらつらいし、とても気になりますよね。でも、おちついて立ち止まって考えてみてください。

「他人より少しはだの色が黒いこと」「少し毛がこいこと」が本当にダメなことなのでしょうか。世の中には、そのような人はたくさんいるし、気にしていない人だっています。なのに、知らず知らずのうちに「悪いこと」「なってはいけないもの」という考え、そんな自分や他人がダメだと思ってしまう考えにそまっていってしまう……。それがまさにいきすぎた「ルッキズム」なのです。

「たちまち美白！」「ムダ毛が気になるあなたに」といったせんでんもあちこちで目にします。本当にひつようとしている人には役に立つじょうほうなので、なにも悪いことではないのですが、それを見る人があまりにも「◎◎になりたい」「◎◎でないとダメだ！」という気持ちが強くなりすぎると、自分の心のバランスがくずれたり、あるいは「◎◎でない人はダメなんだ」などと思いこみすぎて「◎◎でない人」をさべつしてしまうという「心のゆがみ＝へんけん」をもってしまったりする気持ちが生まれないともかぎりません。**ですから、いきすぎた「ルッキズム」は大人はもちろん、とくに子どもであるみなさんは気をつけるひつようがあるのです。**

# アイドルみたいな スタイルの方がいい？

アイドルみたいに
スタイルがよくなりたいけど、
さいきん太ってきたし、
じしんがない……。

# A そこにあなたの すてきな「こせい（個性）」が かくれていませんか？

「こうなりたいから◎◎をいしきしよう、気をつけよう、どりょくしよう」と思う気持ちを持つことはすばらしいことです。でも「こうならないとダメなんだ」と決めつけてしまうのはおかしいと思いませんか。

よく考えてみてください。**はだの色も顔のつくりも体けいもせいかくも、だれひとり「まったく同じ」ということはありません。**大切なのは、そんな決めつけが実はひとりひとりの大事なこせいを見えにくくしているかもしれない……と気づくことです。

たとえば、太っていてもかつやくしている有名人やスポーツせんしゅはたくさんいます。テレビを見ると「ふくよか」なげいのう人がたくさん登場していますし、ラグビーやじゅうりょうあげのせんしゅ、すもうの力士は体が大きいほうがゆうりです。体だけでなくせいかくでも同じ。楽しくてほかの人の気持ちを明るくできる人は、そのせいかくが「こせい」なのです。

日やけがすきな人も、そんなはだの色がけんこうだと考える人も少なくありません。あまり体の毛がこくないのに「こいかも……」と気にしすぎることがおかしいという人だっています。

自分や友だちがそうだからダメだと思いこんだりさべつしたりするのではなく、ひとりひとりのこせいとして受け止め「大事に思う＝そんちょうしあうこと」が大切。

少しむずかしい言葉になりますが、これが「人権（じんけん）を守る」考え方につながっていくのです。

# 男で足がおそいのは
# はずかしいこと？

ぼくは体が小さくて
足もおそくて
「女みたい」って言われる……。
女の子に生まれて
きたかったなぁ。

## A
# 「もっと男らしく」
# と思いすぎて、
# 自分をむりにかえる
# ひつようはないよ。

人間のせいかくやとくいなこと、苦手なことは、人それぞれ。自分で自分のことがすきになれないと考える人がいたり、とくいなことが多いと思っている人がいたり、いろいろなかんじょうをもって生きています。そして、それらのかんじょうはいつも少しずつへんかしているので、この先ずっとそのまま……ということは少ないはずなのです。

「女みたい」っていう言葉も、決していいひょうげんではありません。体が大きくて気が強い女の子だっているのだから正しくないし、人はみんないろいろなとくちょうやこせいがあるのだから、心の中やせいかくを「男」か「女」かのどちらかに分けることや、それをバカにしたりきずつけたりするのっておかしいと思いませんか。

**男女も、どんなジェンダーアイデンティティの人でも自由で平等。むりに自分をかえようとするのではなく、いまの自分のいいところ、なりたい自分について考えてみたほうがいいと思います。**

こんな時に
使えるコトバ

# ジェンダーアイデンティティ

体の「性」とはべつに、心で感じている自分の「性」のこと。「男性」「女性」とはっきり感じている人もいれば、「男性（女性）っぽい」「まん中くらい」「どっちでもない」などさまざまな感じ方がある。「○○と感じるのが正しい」といった答えや「○○か□□か」のさかい目もない。

23

# 男の子が男の子を すきになっちゃダメ？

友だちの男の子から
「しょうじき言うとぼくは女の子より
男の子のほうがすきなんだ」
っていわれたんだけど……。

## A

# ぜんぜん へんじゃない。

どんな人をすきになるかは
人それぞれ自由なこと。

その友だちは、きっと勇気を出してカミングアウトしてくれたんだと思います。男の人は女性を、女の人は男性をすきになるという人が世の中には多いけれど、そうじゃない人、たとえば「女の子と話すより男の子といるほうが楽」な男の子がいたり、「女の子がすきですきでたまらない」女の子がいることもしぜんなことなのです。体は男として生まれてきたけど、男の子として生活することがつらいと感じる人だっています。どんな人をすきになるか、という気持ちはその人のこせいですし、しょうらいその気持ちがかわっても、ぜんぜんかまわないのです。

そういう人をちがった目、へんな目で見ることはその人をきずつけてしまいます。**大事なのは「どんな人をすきになるかはその人の自由」ということを知っておくことなのです。**

こんな時に
使えるコトバ

# カミングアウト

あまり知られたくないと思っていることを、自分自身でほかの人に話したりすること。さいきんは「ほかの人が知らなかったひみつを話す」という意味でふつうに使われることもあるが、もともとは自分の心の「性」やすきになる相手の「性」について話すことからできた言葉。

# 友だちのなやみを
# ほかの人に
# 言ってもいい？

「男の子のことがすきになっちゃった」
となやんでいる友だちの
男の子がいるんだけど、
ほかの友だちに
相談したほうがいいのかな？

## A

# それはやっちゃダメ。

でもその人が話したがっているなら、
やさしく話を聞いてあげて。

同じ「性」の人をすきになるとか、自分の体の「性」と心の「性」がずれていると感じるとか、こういうなやみを持っている人は、そのことをほかの人に言いにくいと考えることが多いです。なぜなら、まだそういう気持ちをりかいできない人が社会には多いからです。

もしあなたになやんでいることを話してくれたんだったら、それはその大事な気持ちをりかいしてくれている。ほかのだれにもしゃべらないとしんじてく

れていると思います。**だから、勝手にほかの人に話してしまうアウティングはぜったいダメ。**その人が「言っていいよ」とはっきり言うまでは、身のまわりにいるどんな人にも話してはいけない……とおぼえておいてください。そして、きょうみほんいではなくやさしい気持ちでその話を聞いてあげて、ひつようであれば学校の先生かせんもんのカウンセラーさんに相談することもすすめてあげてください。

こんな時に
使えるコトバ

# アウティング

あなたが知っているほかの人の、心の「性」やすきになる相手の「性」について、その人のきょかがないまま、まわりの人に言いふらしたりネットに書きこんだりすること。

勝手に「この人に相談したほうがいい」と思い、親切な気持ちでアウティングしてしまい問題になることもあるので、ぜったいにしてはいけないと考えることがひつよう。

# Q

これってなんで？

# 「男の子らしさ」「女の子らしさ」ってなんだろう？

「女の子なんだから
もっとかわいい服を
着なさい」
って言われるけど、
なんだか
イヤな気持ちに
なるんだよね……。

# A

# むりに「男の子らしさ・女の子らしさ」を気にするひつようはないよ。

自由にふるまってみよう。

むかしから多くの人が、ズボンをはいたり青や黒のランドセルを持つのは男の子。スカートは女の子がはくものでランドセルの色は赤やピンク……という考えをもっていました。「女の子はかみの毛をのばしてもいい」「男の子はないちゃダメ」みたいなことを言う人もいました。でも、冬の寒いときにはズボンをはきたい女の子だっているし、かみの毛をのばしたい男の子だっています。男の子にもなきたくなるときだってあるし、ショートカットがすきな女の子もいます。小学校では、男の子はズボン、女の子はスカートをはく……という決まりなどをなくしています。

「男の子が□□するのはダメ」「もっと女の子は◎◎らしく」というようなステレオタイプな考えは決めつけやほかの人へ考えをおしつけることにもつながります。

自分がやりたくないことや考え方をおしつけられて心がきずつく人もいます。**大事なのはその人がどうしたいかを、おしつけではない気持ちでしっかり考えることではないでしょうか。**

こんな時に
使えるコトバ

# ステレオタイプ

世の中のたくさんの人が、正しくても正しくなくても「そうだよね」と思ってしまう考え方やものの見方のこと。ときには「おおさかの人はみんな話がおもしろい」のように、せいかくではないじょうほうをもとに社会の見方がかたまってしまうことがあり、考え方やとらえ方のまちがいを直すことがむずかしいことがあるので注意がひつよう。

29

# そうじは
# お母さんの仕事？

日曜日、お母さんに
「部屋とおふろをそうじしなさい！」
って言われた。
ふだんはお母さんが
やってくれるのに……。

## A
## もしかして
## 「そうじは
## お母さんのやる仕事だ」
## って決めつけて
## しまっていない？

おてつだいがイヤだなぁ……という気持ちとはべつに、「**そうじやりょうり、せんたくはお母さんの仕事**」と思ってしまっていないかな。

さいきんは、お父さんもお母さんも外へ仕事に行くおうちや、お母さんが外へ仕事に行って、お父さんが家で仕事をしながらりょうりを作ったりする……という家庭もふえてきましたね。なのに、なんとなく家で毎日やるような仕事、たとえばそうじや買い物、せんたくはお母さんがやる……というおうちもあるのではないでしょう

か。こういうかたよった考えが「ジェンダー」につながるという人もいます。

でも、とくいなことをとくいな人がやったほうがいいとか、時間によゆうのある人がやったほうがいいとか、おたがいがいろいろできるようになって助け合ったほうがいいと考える人がとてもふえてきているのです。

**おうちのことでも、仕事のやくわりでも、男性女性かんけいなく、いろんなことをみんながやっていける、そんな社会になっていくことが大事なのです**。もちろん、おてつだいをすることもとても大事です！

こんな時に
使えるコトバ

# ジェンダー

体のつくりで決まる性（男・女）ではなく、ふだんの生活や仕事、やくわりなどで決められる性のこと。たとえば、りょうりは男性でも上手な人がいるのに「女性がやること」と考える人がいるように、男だから□□、◎◎をやるのは女だ……というような考え方をさす意味にも使われる。

31

# 「シンデレラ」って
# 楽しいお話？

「シンデレラ」の
お話が大すき！
王子さまにあこがれるなぁ。

## A
# 童話を楽しむのは
# 大さんせい。

だけど、気にしたほうが
いいこともあるよ。

「シンデレラ」は知っていますよね。いじめられていたシンデレラが、魔女のおかげでかぼちゃの馬車やきれいなドレスで王子さまのぶとう会にあらわれ、午前０時のまほうがとける前にいなくなったものの、ガラスのくつのおかげで王子さまとむすばれる……というお話です。

これについて「問題がある」という意見の人は、「王子さまにむかえに来てもらって幸せになる話は、自分でなにもできない女性をえがいている」「王子さまとけっこんすることが幸せになるというけつまつはたんじゅんで、女性のあり方として

よくない」といった考えを持っています。

でもぎゃくに「シンデレラは強い気持ちを持っていた女性だ」「幸せになることをあきらめなかったすてきな女性だ」という考えもあり、お話の見方はさまざまです。

社会にはこのお話からできた「シンデレラストーリー」という言葉もあります。大事なことは、まずお話を楽しんだあと、あこがれたりするだけでなく、**そこに出てきた登場人物の気持ちや行動などをしっかり考えて、自分の感想を持つことではないでしょうか。**

## こんな時に使えるコトバ シンデレラストーリー

シンデレラのように有名ではなく社会から注目もされていない人や幸せではなくめぐまれていなかった人が、いろいろなくろうをのりこえ、きっかけをつかんで、大きなせいこうをおさめるまでの、じっさいにおきたできごとなどのお話のこと。

**Q** これってなんで？

# 外国人は
# マナーが悪い？

町なかで外国人グループが
大声でしゃべっていた。
ほかの国の人ってマナーが悪いから
すきになれないなぁ。

# A 「ほかの国の人」を
# みんな同じように考えるのは
# よくないんじゃないかな。

多くの外国人がかん光で日本に来るようになり、町の通りやお店で食事や買い物を楽しむ外国の人を見かけるようになりました。そんな中には、きっとはじめて日本をおとずれた人もいて、見るものすべてがめずらしく、こうふんしているようなことがあるかもしれませんね。

中には、本当にマナーのよくない人がいるかもしれませんが、それって「その国の人すべて」に言えることなのでしょうか。**日本人でもマナーのいい人、よくない人がいるように、その国の人にもいろいろな考えや行動をする人がいるはずです。**

「◎◎の国の人は□□だ」というようなレッテルをはってしまうのではなく、しゅうかんも文化もちがうのが当たり前、どんなことを感じて話をしているのかな？ などと、やさしい気持ちで考えてみてはどうでしょう。

こんな時に
使えるコトバ

# レッテル

「商品」の中身のせつめいや作った会社について書かれた、その商品にはられる紙のふだのこと。英語で「ラベル」といわれる言葉のオランダ語。また、そのもとの意味から、人のせいかくやのう力をよく知らないまま勝手に決めつける見方のことを「レッテルをはる」などと言う。

これってなんで？

# 住んでいる場所で なにかが決まるの？

「◎◎町に住んでいる子とは
友だちになっちゃダメ」って
近所の人に言われたけど、
ホントになかよくしちゃダメなの？

# A
住んでいる
ちいきや場所で
人をはんだん・さべつ
するのは、
ぜったいにダメなこと。

そもそも住んでいる場所と「人間」としてのかちやねうちはかんけいがないはずです。なのに、**せいかくではない思いこみやうわさをしんじてしまい、友だちになるのをやめること、むししたりイヤな言葉を投げかけたりきずつけたりすることは、人として「正しい」と思いますか？** 住んでいる場所で友だちをえらんだりすることも、さべつにつながるのでしてはいけないことなのです。

住んでいる場所だけではありません。「性」にかんすること、生まれた国、家庭かんきょう、病気やしょうがいなどを理由に「あの人はちょっとちがう」と勝手に見てしまい、はんだん・さべつすることは、その人を深くきずつけることにもなり、ぜったいにしてはいけないのです。

また「さべつはいけないことだから」とさべつがあるのを見ないふりをするのもよくありません。もしそういった友だちがいるのなら「つきあわない」のではなく、思いこみやうわさの「レッテル」をはずして話してみて、その友だちの「人」を知ること、そしてどうつきあうのがいいかを自分の中ではんだんすることが大事なのです。

# 国によって
# とくいなことがちがうの？

アフリカの人は
みんな走るのがはやいの？
マラソンや駅伝の選手も
いっぱいいるよ。

## A

# どんな国の人も
# 人それぞれ。

「アフリカの人」が
みんないっしょなはずはないよ。

地球上の遠い国やよく知らない国のことを考えるとき、わたしたちはかんたんにりかいしようと、つい「思いこみ」をつけて考えたりすることがあります。アフリカには「足がはやい人が多いだろう」とか「目の視力のいい人が多そう」「いつもみんぞくいしょうを着ていそう」といった思いこみもそのひとつです。

たしかにアフリカにはジャングルがあったり、野生動物がたくさんいたり、スポーツがとくいな人がたくさんいたりするかもしれません。でも本当にすべての場所でそうだと思いますか？　みんぞくいしょうのまま、ふだん町へ買い物にでかけたりひこうきにのったりする人がいっぱいいると思いますか？

国によって文化や考え方、とくちょうやしきたりがちがう、ということは多いかもしれません。**でも、同じ国際ルールの中で生きている、みんな同じ人間だということをいつもわすれずにいたいものですね。**

# あだ名をつけるのって いじめになるの？

走るのがおそい友だちに
「カメ」ってあだ名をつけたら
「いじめ」はダメって言われた。
いじめたつもりは
ないんだけど……。

## A
あだ名でよばれた友だちが
本当はイヤな思いを
しているなら、
それは「いじめ」に
なるかも。

あだ名（あいしょう）は、その人にたいして親しみをこめていることもあれば、体や顔のとくちょうを見たまま感じたままつけてしまうようなこともありますね。でも、**いちばん考えてほしいのは、そのあだ名でよばれる友だちがどう感じているか、きずついていないか、ということです。**

たとえばリレーやときょうそうがとくいな男の子に、走るのがはやい動物「チーター」とあだ名でよんだら、その子は悪い気はしないかもしれません。でも、顔や走り方がにているから

と「チーター」とあだ名をつけたら、その子はどんな気持ちになるでしょうか。よぶほうに悪気がなくても「カメ」とよばれた友だちは、もしかしたらきずついているかもしれませんね。「あだ名」をつけたり「あだ名」でよんだりすることが、すぐにダメだとは思いません。でも考えてほしいのは、その「あだ名」をつけた理由や、そのあだ名でよばれる友だちの気持ち。みんなが気持ちよくよび合える「あだ名」を考えることのほうが大事ではないでしょうか。

Q.
これってなんん？

# もしかして、
# いじめられている……？

さいきんクラスの友だちに
わざとむしされてる気がする。
きがえの服をかくされたり……
もしかして
いじめられてる
のかなぁ。

# A 長い間イヤなことを
# されつづけてるのなら
# 「いじめ」かもしれない。

「いじめ」はダメ……ということはみなさんよくおわかりだと思います。でも、どんなことが、どこからが「いじめ」になるのでしょうか。

「イヤなことをされている人がいじめだと感じたら、それはいじめだ」というほうりつがあります。「イヤなこと」や「いじめだと感じるレベル」も人それぞれなので少し分かりにくいですが、そのことで自分の心がきずついている、つらいと感じる時間が長くつづいているなら「いじめ」と考えられます。

そのないようも「たたかれる、つつかれるなどのぼう力を受ける」「●●をやってこい！とめいれいされる」「持ち物や服をかくされる」といったじっさいの行動だったり、「見た目や体のとくちょうをからかわれる」「家族や家のことをバカにされる」「話しかけてもむしされたり、なかまはずれにされたりする」「先生や家族に言うな、などとおどされる」といった言葉やたいどだったり、学校などじっさいの場所だけでなくネット上などで、つらいじょうきょうに長い間おかれ、**ひとりでなやみつづけることが、あなたの心をどんどんきずつけ、問題を大きくしてしまうかもしれません**。しんらいできる友だちや先生、せんもんのカウンセラーさんに相談することをぜひ考えてみてください。

# 友だちに聞いちゃ いけないことってあるの?

「こんどのお休み
どこかへ出かけるの?」って
友だちに聞いたけど、
教えてくれない
友だちがいたんだ……。

# A なにか言いたくない わけがあるのかも。

むりに聞かないほうがいいかな。

あなたにとって「聞いてもいい」しつもんが、相手にとって「聞かれたくない」ことだった。きずつけるつもりなんてぜんぜんなかったのに、なんだかきずつけたみたいな空気になった……。そんなけいけんがある人もいるかもしれませんね。そういうときは、**やさしい気持ちで相手の心の中を想像してみてはどうでしょうか。**

休みの日にどこかへ出かけるの？　と聞いても答えてくれないのは、もしかしたら「出かける予定が、なにかの理由でとりやめになったのかな」「おうちの人が仕事でいそがしく、出か

けたくても行けないのかな」「そんなに遠くに遊びに行けず、はずかしい気持ちがあるのかな」……そうやって相手の気持ちを想像するのは大事なことだと思います。

**言いたくないことを聞こうとすることは、相手にとってうれしいことではないだろうし、相手をきずつけてしまうかもしれません。**言い出してしまったことはとりけせないので、相手の友だちのようすがへんだ、話したくなさそうだと感じたら、すぐにそんな思いやりをもって、考えたり話したりしてみてはどうでしょう。

# スキーに行ったって じまんになるの？

冬休みに家族で
スキーに行った話をクラスでしたら
「じまんするな！」って言われた。
そんなつもりじゃ
なかったのに……。

## A

そのつもりが
なくても「じまん」に
聞こえる人が
いたってことを
おぼえておこう。

「家族でスキーなどの旅行に出かけること」が、あなたにとってはふつうのできごとかもしれないけれど、ほかの人にとってはとくべつでなかなかできないことかもしれないですね。そしてそこには、**ひとりひとりが持つ「かちかん（価値観）」のちがいがあります。**

「かちかん」とは、多くの物事の中でどれが大事だと思うか、どこに時間やお金を使うねうちがあるかといった、ものの見方や考え方のこと。

いい学校に入ったり勉強ができたりすることが大事だ！　と考える人もいれば、勉強よりもスポーツをたくさんがんばっ

てけんこうに生きることが大事だ！　と考える人もいます。このように、世の中にはいろいろなかちかんのちがいがあり、このかちかんが一番大事！　というようなことは決めることができず、ほかの人に「これが正しいんだ」などとおしつけることもしてはいけないものなのです。

**ひとりひとりかちかんがちがいますし、せいちょうやけいけんを重ねることでかちかんがへんかしていくものです。**そのことをりかいしたうえで、ときにかちかんのちがいをみとめ合い、相手を思いやったり、ぎろんしたりできるようになりたいですね。

# テレビ局の「考査」という仕事

　ふだんテレビをご覧になっていて、その裏側には番組を作る仕事をしている人、CMを売る人、どの時間にどの番組を流すかを考える人がいるんだろうなぁ……というようなことは想像がつくと思います。でも「考査」の仕事って、あまり耳にしないし想像がつかないのではないでしょうか。

　「考査」とは、テレビで流れる番組やCMが法律などをきちんと守ってつくられているか、映像やナレーションなどの表現が視聴者の方々にいやな印象を与えるものになっていないか、などをチェックしたりアドバイスしたりする仕事です。番組やCMが社会的に問題のないように作られているかを確認し、改善すべきところがあればどう直せばいいかをアドバイスする、「放送前チェックの相談所」と言えば分かりやすいでしょうか。

　たとえば、ドラマで役者さんが車を運転しているシーンを考えてみましょう。車が動いていて、もし出演者がシートベルトをしていなければ「法律（道路交通法71条の3）に違反する行為」にあたり、放送で流すのは「適切でない」ということになります。

　では「適切かどうか」を判断する基準やルール、ものさしとなるものは何なのでしょう。法律や条例などはもちろんですが、テレビに関しては放送法という法律、そしてこの放送法で規定された「放送基準（番組基準）」というルールを守る必要があります。シートベルトの例で言うと、日本民間放送連盟の放送基準第6条に「法令を尊重し、その執行を妨げる言動を是認するような取り扱

いはしない」という一文がありますので、法に触れる行為をテレビで流してはいけない、というルールを守っていることになります。

　CMでも同様に、法律や各法に基づくガイドラインなどに違反・抵触するような表現はないか、視聴者の方を惑わせる、迷わせる、誤認させるような表現はないかを確認しています。みなさんがみているCMは、すべてこのチェックを経て放送されているのです。

　昨今ネット上では、テレビは「マスゴミ」などと批判を受けることが多くなりました。社会的倫理的に考査の観点が欠けた、抜け落ちたものが放送されることがしばしばあり、私たちも反省しなければなりません。

　しかし、だからと言って、あまたネットにあふれる考査の観点やチェックを欠いた情報、匿名で情報源（ニュースソース）のはっきりしない情報のほうが「信用できる」「信憑性が高い」などと受けとめてしまっていいとは思いません。情報を正しく読み解き、自分の考えを整理したり、判断・取捨選択したりするためには、さまざまな角度から見た他の複数の情報と重ね合わせて考えることが必要です。

　そのような時代に、テレビは「信用に足る情報源」でなければならないと思います。信用に応えるために番組を作っている制作者はもちろん、「考査」という仕事もさらに真摯に誠実にすすめること、信頼のために努力を重ねていくことが求められているのだと思います。

# 第 2 章

# ほうりつを
# 知って

# 命を守ろう

# 「ほうりつ」ってなんだろう？

「ほうりつ」って
なんのためにあるの？
ちょっと
むずかしいなぁ。

**A** みんなが
幸せに生きるため、
命や心を守るための
ルールだよ。

なんだか漢字がいっぱいならんでいて、むずかしそうなものに見えますが、**ほうりつは日本で生きるすべての人が幸せでいられるように作られた「ルール」なのです。**

国民に守られている自由や資格（権利）、しなければならないこと、してはいけないこと、守らなければならないこと（義務）など、日本の国会で作られたみんなのためのやくそくとルールなのです。また「ほうりつ」のほかに「じょうれい（条例）」と

いって住んでいるまち（都道府県・市など）で作られた、そのまちだけのルールもあります。

とうぜん、みんなのためのルールですから、大人はもちろんみなさんのような子どもも守るひつようがあります。ぎゃくにまわりの人たちからこのルールにふれるようなことや反することをされて、体や心がきずついたり、こまったりなやんだりしたときにもまた、「ほうりつ」というルールがたすけてくれるのです。

# ほうりつって いっぱいあるの？

ほうりつっていくつあるの？
　「六法」って聞いたことが
あるけど……
6つなの？

**A**

# 「ほうりつ」 だけでも、 やく1900あると 言われているよ。

日本には「けんぽう（日本国憲法）」、「ほうりつ」、「じょうれい（条例）」や「せいれい（政令）」「きそく（規則）」などいろいろなしゅるいのほうりつやまもるルールがあります。このうち「●●ほう」や「●●にかんするほうりつ」というものは、**やく1900あると言われています。**

「ほうりつ」はほとんどが「決めごと」や「守らなければならないルール」について書かれています。では「けんぽう」とは何でしょうか。「けんぽう」はこくみんにはどういうけんり・ぎむがあるの？ ほうりつはどうやって作るの？ というきほん中のきほんの考え方について書かれています。たとえば日本国けんぽうの第14条には「すべて国民は、法の下に平等であって、人種、信条、性別、社会的身分又は門地により政治的、経済的又は社会的関係において、差別されない」と国民はみんな平等だと決められているのです。

「六法」とは、「けんぽう」のほか「みんぽう（民法）」「けいほう（刑法）」などおもなほうりつの6つをさす言葉ですが、「六法全書」というぶあつい本にはこの6つだけでなく900近いほうりつがのっていたりします。**日本という国は、こういった多くのほうりつによって社会の活動や生活がきっちり守られ、整っているのです。**

# Q

# 身のまわりにある「ほうりつ」とはなんだろう？

ぼくたちの身のまわりで「ほうりつ」ってかんけいあるのかな？

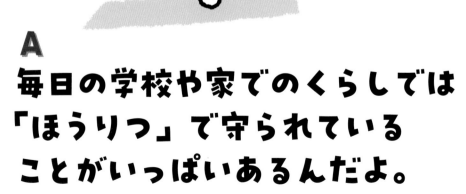

# A

# 毎日の学校や家でのくらしでは「ほうりつ」で守られていることがいっぱいあるんだよ。

一日の生活の場面で、どんなほうりつが身近にあるのかを考えてみましょう。

朝、学校へむかうとちゅう、おうだんほどうでしんごうが青になればわたる……という交通ルールは「道路交通法」。学校について受けるじゅぎょうについて決められているのは「学校教育基本法」。友だちにかりた本を返さずに勝手にほかの人に売ったりしたら「けいほう」のおうりょうざい、ケンカをして相手にケガをさせたらそんがいばいしょうしないとならないこともありますし、「けいほう」の

しょうがいざいも問題となります。インターネットで見つけた大すきなアニメキャラのイラストを YouTube で流したら「ちょさくけんほう」いはんになるかも……。おうちでは家族が「しゅくだいしなさい！」「ゲームは夜９時まで！」って注意したりするのは、「みんぽう」で子どものために決められたほご者のルールです。

**このように大人も子どもも、社会の中で生活する上で、ほうりつとはきってもきれない、深いかんけいがあるのです。**

# 子どもが
# おぼえておきたい
# 「ほうりつ」は？

ぼくたち子どもが
気をつけなければいけない
「ほうりつ」ってどんなもの？

**A** ほかの人を「おこらせる」
「いやがらせる」ことは、
ほとんどほうりつで
ダメって決まってるから
気をつけよう。

おさけやたばこは20さいになってから、というほうりつは知っていますよね。そんな大人の決まりのほかに、小学生にとって身近でいちばん気をつけなければいけないのは、**ほかの人の体や心をきずつけたり、いやがることはぜったいにしないということだと思います。**

かりたものやお金を長い間返さず、自分の物にしてしまう（刑法・横 領 罪）、ケンカになって相手をたたく（傷害罪・暴行罪）、人がいやがることを（〇〇をやれなど）めいれいする（強要罪）、みんなの前でバカにしたことを言う（侮 辱 罪）、お店の人にだまってスマホをじゅうでんする（窃盗罪）、すきな子のあとをつける（ストーカー規制法違反）ことなどは、すべて「ほうりつ」によってやってはいけないと決められていて、**もしこういった悪いことをすると、しょばつされるかはべつとして、けいほうなどのほうりつにいはんするこういになります。ひがいを受けた人からみんぽうにもとづき、そんがいばいしょうせいきゅうを受けることもあります。**

ぎゃくに、こういったほうりつがあるからこそ、たくさんの人の命や心がまもられ、毎日のくらしを気持ちよく平和にすごすことができるのです。

# Q これってなんで？
# 子どもは悪いこと
# しほうだい？

子どもは悪いことをしても
「つみ」にならないって
聞いたことがある。
ほうりつは
気にしなくていいのかな？

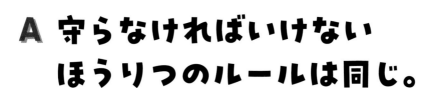

# A 守らなければいけない
# ほうりつのルールは同じ。

ぜったいに軽く考えないで。

大人とちがって、小さな子どもはまだせいちょうのとちゅうでものごとを考える力がついておらず「せきにん」をじゅうぶんに持てない（責任能力がない）ので、14さいになっていない子どもが悪いことをしても「はんざい」として、ばっせられることはありません。でも、けいさつに話を聞かれて、じどう相談所にしばらく行ったり、ひどいことをしたときには家庭さいばん所でしんぱんという手続き（どのくらい悪いことをしたかのはんだん）を受けなければいけません。**決して、子どもはなにをやってもゆるされるということにはならないのです。**

社会のルールであるほうりつは子どもに対しても同じですし、それが守れずにもし悪いことをしてしまったのなら、そのげんいんをじゅうぶんに考えて、悪いことを悪いとりかいし、これから正しく生きていくためにしっかりはんせいし、しどうを受けて自分で考える、つらい時間をすごすことになるのです。

# インターネットの世界に ほうりつはない？

インターネットは、
げんじつの世界じゃないから
ほうりつはかんけいないよね？

# A いいえ、 ほうりついはんに なりそうなことが いっぱいあるから 気をつけて。

インターネットやゲームにも、げんじつの世界と同じようにたくさんのほうりつ・ルールがあります。

まず気をつけなければいけないのは、ほかの人が作った絵やイラスト、動画、作文、音楽、自由研究などは「その人のもの」であり、だまって自分のSNSや動画に使ったり、自分が作ったとウソを言ったりすると「著作権法」というほうりついはんになるかもしれません。図書室にある本や買ってきたマンガも、自分が読むのはいいけれど「おもしろいからみんなに教えてあげたい！」と本の写真やコピーをネットやSNSでみんなに見られるようにするのはアウト。ネット上で見かける有名なアニメキャラのイラストやテレビで放送された動画なども「こうしき（公式）サイト」でないものはこの「著作権法」にいはんしたものが多く、ネットから勝手にコピーしてアップするのもダメなのです。**みんなやっているから……はつうようしないのです。**

ほかの人のIDやパスワードを知ることも勝手に使うのもダメですし、SNSやゲームのチャットでは子どもがねらわれるじけんもおきています。ゲームやネットだからこそ知っておかなければいけない、大事なほうりつもたくさんあることを知っておいてください。

63

**Q** これってなんで？

# 「ほうりつ」だけ 気をつけて いればいい？

インターネットでは
ほうりつに気をつけてれば、
だいじょうぶかな？

**A いいえ、むしろ 「ほうりつ」以外に 気をつけることのほうが 多いのです。**

インターネットでもほうりつには気をつけようというお話をしてきましたが、ほうりつは注意することを知っていればいいのですが、むしろ**ネットの世界では、ほうりつ「以外」で気をつけることのほうが大切です。**

まずおぼえておいてほしいのは、自分や家族の名前や写真、年れい、せいべつ、住んでいる住所、メールアドレスや電話番号、学校名、いまいる場所などの「こじんじょうほう（個人情報）」をかんたんにネットで話したり書きこんだりしない！ということです。あなたの知らない人が、あなたやまわりのことについて知っているなんて気持ち悪いですし、そのじょうほうがあっというまにネットで広がることだって考えられます。いちどネットに出たじょうほうはえいえんに消すことができないですし、それが悪い人の「はんざい」に使われることも少なくないのです。

自分だけでなく、友だちのじょうほうや顔写真を勝手にネットに上げるのもぜったいダメ。プライバシーのしんがいや大きなトラブルにつながってしまいます。

**ネットはとてもべんりで楽しく、ためになる使い方ができますが、悪い人やマナー・ルールを守らない人もいっぱいいます。**ネットで子どもが気をつけなければいけないことを知るのは、自分や家族の心・体や命を守ることにつながるのです。

# 今日の予定をネットに書いてもいい？

「こじんじょうほう」を
書かなければ、
インターネットに
自由に書きこんでも
いいのかな？

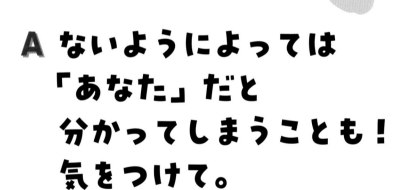

# A ないようによっては「あなた」だと分かってしまうことも！気をつけて。

ネットで「今日は●●駅■時の電車で▲▲へ行くんだ」「この間行った●●駅近くの▲▲というお店がすてきだった」などと書いてあったら、あなたはどう思いますか。その人の名前が書かれていなくても、この人が住んでいるエリアや生活パターンが見えてきませんか。そんなじょうほうがいくつもつみかさなっていくと、じっさいに後をつけられたりして「あなた」だと分かってしまうこともありうるのです。

写真をアップすることにも注意がひつようです。まどからきれいなにじが見えた！　とアップした写真に家やたてものの一部やまわりのけしきが少しでも写っていたら、あなたの住所や写真をとったエリアが分かってしまいますし、まどにはんしゃしてあなたの部屋や顔がぼんやり写りこんでいるかもしれません。そこにせい服が写っていたりすると、あなたの学校や年れいが分かってしまうかも……。さらに、もとの写真ファイルにはいつどこでどんなカメラでとられた写真かというデータがのこっていたりすることもあります。

このように**顔の写真や「こじんじょうほう」自体をちょくせつアップしなくても「あなた」だと分かってしまうきけんはどこにだってあります**。だから、いつも注意するひつようがあるのです。

# 「ほかの人のふり」を してもいい？

自分だとネットで
分からないようにするには、
だれかの「ふり」をすれば
いいんじゃないのかな。

# A 「なりすまし」は トラブルのもと。

ぜったいにダメ！

ネットの世界は顔が見えず本名を出さなくてもりようできてしまいます。なので「だれかのふり」をすることもできるのですが、それは「ウソつき」になり、だれかをだますことになってしまいます。自分であることをかくすことで、だれかをきずつけるようなひどいことを書きこめたりするので、じっさいにトラブルになっています。ぜったいにダメだとおぼえておいてください。

かりに、あなたが友だちのふりをしたり、じっさいにはいない「だれか」になったりしてネットを使ったとしても、ちょっとした書きこみや使い方からおかしいと思われて「だれか」のふりがつづけられなくなったり「あなた」だと分かってしまっ

たりします。そうなると、多くの人があなたを「ウソつき！」などとよび、ひどい言葉をあびせ、あなたや家族がきずついてしまうかもしれません。

ぎゃくに、あなたがネットで出会う人も「だれか」になりすましていることだってあるかもしれません。だれかがあなたになりすまして「●●くんにいじめられた」などとウソを言ったりしたら、あなたがせめられるかもしれません。また、べつの「だれか」があなたのこじんじょうほうやパスワードをぬすもうとしているかもしれません。「なりすまし」はトラブルやはんざいにつながることがとても多いので、ネットで「だれかのふりをする」ことはぜったいにしてはいけないのです。

# 顔が分かる写真を送ってもいい？

チャットで知り合った人に
「顔を見たいから写真送って」
って言われたんだけど……。

## A とりかえしのつかないトラブルになるかも。

ぜったいに送っちゃダメ！

ネット上のチャットなどでは、ちょっとしたきっかけで話がもりあがり、会ったことがない人となかよくなることがあります。そういったときに「顔が見たい」「写真を送ってほしい」などと言われたらよう注意。ぜったいに送らないでください。

いちど写真を送ってしまうと「この子はなんでも言うことを聞いてくれる」と思われてしまい「つぎはせい服の写真」「つぎは服をぬいでみて」「したぎやはだかになって」とエスカレートしていきます。イヤだとことわるときゅうにこわい言葉で「言う

ことが聞けないのか？　写真やいままでのことをネットに広めるぞ」「家にどなりこむぞ」などとおどされてしまうということがじっさいにおきています。

人に見られたくない写真などを送ってしまうと、**ぜったいに消すことができない「デジタルタトゥー」としてネットにのこってしまい、いまだけでなくみらいのあなたの心や生き方に大きなきずがのこってしまうかもしれません。**

もし本当にこういうことがおきたら、たとえ家の人にないしょでネットを使っていたとしても、正直にしんらいできる大人に相談するようにしてください。

こんな時に
使えるコトバ

# デジタルタトゥー

ネットに書きこんだコメントやアップした写真など、いちど広がってしまい、とりけすことやさくじょすることがほぼふかのうなじょうほうのこと。名前や住所などのこじんじょうほう、ほかの人をきずつけたコメ

ント、ふざけてとった動画や人に見られたくないはずかしい写真（はだかなど）がある。これらが広まってしまうと、しょうらいの自分や家族のしんよう・しんらいをきずつけてしまうことにつながる。

# Q これってなんで？

# チャットでなかよくなった友だちと会ってもいい？

チャットでできた友だちが
とてもやさしくて
なやみも聞いてくれる。
こんどじっさいに会おうって
言われているんだけど……。

## A ひとりで行くと
## トラブルに
## まきこまれるかも。

しんらいできる大人に相談しよう。

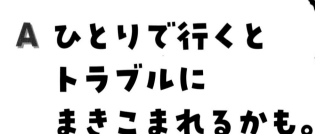

家の人や友だちにも話しづらいこと、なやんでいること、聞いてほしいことは、むしろ「知らない人」のほうが話しやすいかもしれません。そして、そんな話をくりかえしていると、すごくいい友だちになった気がするかもしれません。でもじっさいに会ったことがない人のことを、かんたんにしんじていいのでしょうか。プライベートなことを相談していいのでしょうか。「わたしの写真送るね！」と言われても、その写真が本当にその人かどうかを会わずにどうやってかくにんするのでしょう。**チャットでいろんな話をしたとしても、どこまで相手のこ**と、あなたのことをりかいできるのでしょうか。

その人がいい人に「なりすまし」ていて、じつはすごく悪い大人だったら……はんざいにまきこまれ、あなたの体や心に深いきずをのこすことだってあるかもしれません。

どうしても……という気持ちがあるなら、会いにいく前にあなたをよく知る、あなたを大事に思ってくれているおうちの人や先生などしんらいできる大人に相談してみてください。

でも、じっさいに会わない！と決めておくことが一番いいと思います。

# Q

# インターネットはなにを書きこんでもいい？

チャットや SNS など、
ネットって自由に
なにを書きこんでも
いいんだよね？

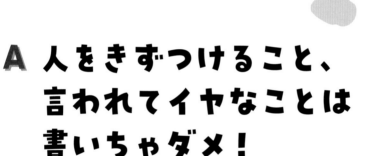

## A 人をきずつけること、言われてイヤなことは書いちゃダメ！

ネットはとてもべんりです
が、いろいろなルールがあり、
気をつけることや注意すること
などを知っておく「ちしき」が
大切です。でも、それと同じく
らいに大切なのが「心」のじゅ
んび、つまり「人をきずつけな
い」ことだとおぼえておいてく
ださい。

SNS、チャットなどではほか
の人と話したりじょうほうをこ
うかんしたり、コミュニケー
ションをとることが楽しいです
よね。でも、ついよくない言葉
を使ったり、言いあらそってし
まったり、友だちが「知られた
くない」と思っていることや悪
口、かげ口を書いてしまったり
することがあります。あなたに
そのつもりがなくても、それが

げんいんでケンカになったり、
自分がイヤな気持ちになった
り、人をおこらせてしまったり
……。ひどいときには「いじめ」
などじっさいのトラブルになっ
たりすることだってあります。

ですから、ネットの世界では
「なにを書きこんでも（発言し
ても）いいわけではない」、「人
をきずつけない」ことをいつも
心がけておくひつようがあるの
です。

ネットは「顔が見えないし、
名前も分からないから●●でき
る」と考えるのではなく、本当
に会って話をしていると思っ
て、やさしい言葉を使い、思い
やりの気持ちをわすれずりよう
することが大事なのではないで
しょうか。

# 思ったことをそのまま
# コメントしてもいい？

SNSで友だちに
「今日の服ステキだったよ」
ってコメントしたら
「いつもはダサイってこと？」
って言われちゃった……。

## A 日本語ってむずかしい。

ごかいされない、
ていねいなひょうげんを考えよう。

ネット上ではじっさいに口にする「言葉」より「文字」でのやりとりが多くなりますね。でも、ここでひょうげんや使い方をまちがったりすると、自分が思っていることやつたえたい気持ちとはまったくぎゃくの意味で受けとられ、ケンカや仲間はずれ、炎上<sub>えんじょう</sub>のげんいんになるかもしれません。

たとえば、長いかみの毛を切った友だちに「ショートはステキでいいね！」とほめるつもりで書きこむと、友だちに「前のロングはステキじゃなかったの？」とぎゃくに受けとられるかもしれません。そんなときは「ショート"も"ステキ！」とコメントしたほうが言われたほうも気持ちいいですよね。今回のケースも「今日"の"服ステキ！」ではなく「今日"も"服ステキ！」とコメントすれば、

おこられることはないですね。

また、休みの日に「えい画行かない？」＝【えい画を見に行かない？】とか、友だちの「●●さんってすごく楽しくない？」＝【●●さんは楽しいと思いませんか？】と良い意味で書きこみたいときに「？」を打ちわすれてしまうだけで「わたしはえい画行きたくない」「●●さんはぜんぜん楽しくない」とまったくぎゃくの意味になってしまいます。

日本語のむずかしいところですが、顔が見えないネットではちょっとした言葉の使い方がトラブルになることが少なくありません。**あなたの気持ちがちゃんとつたわるように、ごかいで相手をおこらせないために、ネットで使う文字や文章は、よく意味を考えて、ていねいに打つことを心がけてくださいね。**

# SNSって
# なんでもできる!?

SNSって楽しそう。
いろいろなじょうほうが知れたり、
友だちがふえるんだよね！

# A 楽しいけれど、
# それだけじゃない。

きけんであぶない目に
あわないためのルールを知ろう。

Twitter や TikTok、LINE、Instagram などそれぞれにとくちょうがある SNS は、多くの人が楽しくりようしています。ただ、ほとんどの SNS は小学生は使えないルールになっています。でも、じっさいには家の人のとうろくなどで小学生でも使っている人がいます。

そして、SNS は「あだ名やニックネーム」「好きな名前やじこしょうかい」を自由に書けてしまいます。ですから、その人が書きこんだことが本当かどうか分からないのです。

また、**いちどはっしんした発**言などのとうこうは、**まずとりけすことができないのです。**ウソや人をきずつけることを書きこんだり、ふざけてとった動画や人にめいわくをかけたり、ほうりつにいはんしているようすの動画をアップしたりしてしまうと、それがずっとのこってしまいます。コメントで言いあらそいになり、相手からひどいことを言われたり、たくさんの人からひはんされたりして、後になってこうかいしたりきずついたりすることがあるかもしれません。

**つらい思いをしないためにも、SNS のことをじゅうぶんりかいしたうえで、気をつけて使うひつようがあるのです。**

こんな時に
使えるコトバ

# SNS

ソーシャルネットワーキングサービスのこと。サービスにとうろくした人どうしが、コメントや写真をアップしたり、すきな友だちとグループを作ったりしてこうりゅう（コミュニケーション）する「ネット上の場所」。いろいろなじょうほうをこうかんできてべんりで楽しいいっぽう、いくつかの SNS は「とくめい」「本当ではない名前」で使えるため、トラブルやはんざいのきっかけになることがある。

第1章

第2章 ほうりつを知って命を守ろう

第3章

第4章

79

# バカにされたら、
# やり返してもいい？

SNS で「君の考えはまちがっている」って
バカにされた。
すごく頭にくるんだけど。

君の考えは
まちがっている。

# A SNS でやり返したらダメ。

おこってすぐに
言い返さないようにして。

SNSでよくあるトラブルが、顔が見えないコメントのやりとりで、思っていることがつたわらずケンカや言いあらそい、いじめになってしまうことです。

相手がどんな人かにもよりますが、カッとなってかんじょうてきに言い返すと、ぎゃくにトラブルが長くつづいたりすることになるので、まずは気持ちをおちつかせてください。

そしてむりに言いかえそうとせず、相手が会ったこともない人であれば、そのままなにも言い返さず「スルー」をしてもいいかもしれません。

相手が知っている人で、どうしてもコメントを返すのであれば、**自分が言われてイヤだと思う言葉は使わず、ケンカごしにならないようにしましょう。**

ネットでのトラブルは、場合によってはひどいいじめになることもあるので、家の人や先生などしんらいできる大人に相談するのもいいかもしれませんね。

ふだんから、軽い気持ちで思ったことをそのままコメントしてしまうと、だれかがイヤな気持ちで受けとめてしまうかもしれないので、コメントはよく考えて送ることが大事です。

# SNSで友だちを ぼしゅうしてもいいの？

SNSをきっかけにした「じけん」の話を
ときどき聞くけど、
なにに気をつければいいの？

友だちが
ほしいです。

# A「子ども」だと分かることや
「友だちがほしい」などと
書かないことが
安全の第一歩。

SNSでは、子どもがいろいろな「じけん」にまきこまれることがじっさいにおきています。ネットの世界には「子ども」をねらった悪い人が意外にたくさんいる……ということを知っておいてください。

子ども、とくに小学生などみせい年の女の子がSNSにねんれいや学年、せいべつを書いたり「さびしいからだれか話を聞いて」などとコメントしてしまうと、とたんにたくさんの人からメッセージやコメントがきてしまいます。やさしそうな人とさいしょは楽しくやりとりしていても、だんだんエッチな話をしてきたり、なやみを聞くからじっさいに会おうといわれ

たり、会ってみたらぼうこうを受けて心や体にきずをおってしまったり……というように「はんざい」のひがい者になってしまうこともあるのです。

**ネットで、そのようにやさしく近づいてくる大人に本当にやさしい人はいない！ と思っておくほうが、命や体をまもることにつながるのではないでしょうか。**

SNSの「友だち」は自動でついかせず会ったことがある人だけにする、自分のIDやQRコードはほかの人にわたしたりネットにあげたりしない、知らない人にいいね！ やコメントはしない……などルールを決めることも大事だと思います。

# Q これってなんで？

# SNS は
# 悪口を書いてもいい？

SNS では
気をつけていれば
「ぼく」だって分からないから、
ちょっとキツいことも
言いやすい。

# A 「とくめい」は
# ぜったいじゃない。

自分が言われて
イヤなことは書かないで！

SNS は本当の名前をあかさなくてもいい「とくめい（匿名）」だからとほかの人にひどい言葉やはんろん、悪口を平気で書きこんでしまう大人も少なくありません。そして、わざと「イヤな思いをさせてやろう」と人の心をいためつけるひどいコメントのひぼうちゅうしょう（誹謗中傷）をして心をきずつける人、自ら命をたった人 * まで出てしまっているのです。

でもじつは、SNS での「とくめい」はぜったいに自分だと分からないものではありません。ほうりつがかわり、SNSでひどいひぼうちゅうしょうなどがおきたとき、そのひどいコメントをしたのがどこのだれかを調べる手つづきがかんたんにできるようになりました。どの

ネットの会社や回せんを使ったかなど、ネットでの足あとをたどって本当の名前や住所が明らかになるのです。

ですから、インターネットでかんぜんな「とくめい」はありえないとおぼえておいてください。本当の社会と同じようにネットでの発言や行動も「自分の顔を見られている」「かんたんに自分であると知られる」という気持ちでりようすることが大切ですし、**ネット上でも自分が言われてイヤな言葉は、ほかの人にむけて使うべきではないのです。**

* SNS でおきたひぼうちゅうしょうで、とうとい人の命がうしなわれたことがあります。多くの人が投げかけたひどい言葉が人の命をうばう「きょうき」になってしまい、あってはならないことがおきてしまったのです。

# 「α世代」のために大人ができること

　第2章「ほうりつを知って命を守ろう」は、法律やネットのルールを知り、それらを守ることで昨今ニュースで聞くようなトラブルや事件から子どもたちを守りたい……という視点で書き進めました。しかし、頭で「やってはいけない」と分かっていてもつい「やってしまう」……子どもはそんな存在だからこそ、親・大人の悩みも尽きないのではないでしょうか。

　これまでにも、ティーンエージャーが自分のアルバイト先や訪れた回転寿司などの外食チェーン店で「やってはいけない」と知っていながら「目立ちたい」「面白半分」「ふざけて」やってしまった行為の動画がSNSに広がるという事案がありましたが、そこで巻き起こる批判や誹謗中傷、社会的影響は想像もつかないほど大きいものになっています。今日のネット・SNSは、いろいろな情報に対する反応、特にネガティブな面が増幅されるという特性がありますから、いとも簡単に個人名や住所が特定され、その刃はときに周辺や親を含む家族にまで及び、批判にさらされることによる精神的苦痛は計り知れません。場合によっては刑事・民事両面での責任を問われるなど沈静化にはかなり時間を要するばかりか、その行為はデジタルタトゥーとしてネット上に残り、一生影響を及ぼすことにもなりかねません。一方で、子どもが批判する側に立ってしまったとしたら、その精神面や人格形成面への影響も決して軽視できず、悩みは小さくないと感じます。

# 大人の方に読んでほしい大切なコト

　デジタルネイティブと言われる「Z世代」の若者が成長し、いまの小学生は「α世代」などと呼ばれ、デジタルに対してより柔軟な考えと適応力を持っている、一定のリテラシーを学んでいると言われています。しかし、その力を生かしネットの便利さを活用し新たな未来を創り上げるためには、その基礎としてなにより人としての分別や倫理観が不可欠なのではないでしょうか。

　私が小学校3年生のころ、キャッチボールで投げたボールが隣家の壁をこえ植木鉢を割ってしまうということがありました。このまま黙って家に帰ろうかと葛藤しつつも、恐る恐るチャイムを鳴らし親父さんに平謝りしたところ「次から気をつけろよ」と柔らかい表情で許してもらったという経験があります。地域で子育てという時代でもあり、子どもの少々の失敗には寛大でした。そう思うと、令和の今はリアルもバーチャルも様変わりし「子どもだから許される」という概念は社会からどんどん消えつつあると思います。

「していいこと」と「してはいけないこと」を学ぶ大切さや「これをやってしまったらどうなるか」というリスク予測の大切さは、昔も今もリアルもバーチャルも変わりありません。ネットの発展により便利さが手軽に享受できる半面、隣り合わせにある誤った認識、危険な行動へ未熟な子どもたちが近づくことがないよう、分別や価値観を子どもたちに正しく伝えるべき私たち大人も認識や行動を問われている時代なのだと思います。

# 第3章

# お金ってな

んだろう？

# Q これってなんだろう？

# お金っていったいなんだろう？

お金ってどうしてみんな
「大事」にするの？
そもそも
お金ってなに？

## A お金は「かち」を数字であらわす、こうかんできる、おいておけるものだよ。

もともとお札はただの「紙」だし、こうか（硬貨）は「金ぞく」ですよね。では、どうしてみんなお金が大切でどこでも使えると考えるのでしょうか。それは、国がそのお金の「かち」を決め、その「かち」がなくならないとせきにんを持ってくれているから。だから「1000円札」は1000円のものやサービスとこうかんできるのです。あなたがメモに「1000円」と書いてもだれも1000円のものとこうかんしてくれないですよね。**みんながお札という紙に「かち」があると考えるのは、日本という国にしんようがあるからなのです。**

買い物をすることは「お金」をお店にわたして、同じかちの商品・サービスと「こうか

ん」していることになります。1000円札に1000円のかちがあると国がせきにんを持っているから、またそのお金をべつのところで使えるのです。

お金とは、その「かち」を数字にあらわした紙や金ぞくであり、持ち運んだり手もとにおいておきやすい「べんり」なものなのです。

そして、その「かち」が分かりやすくくらべられるように、ものやサービスにはねだんがつけられています。おもちゃやゲームなど「もの」がほしいときには「ねだん」をみて、そのぶんのお金がひつようだと考えます。**つまりお金は、もののねうちをはかる「ものさし」にもなるのです。**

# お金はどうしたら手に入るの？

大人がはたらくと
どうして「きゅうりょう」が
もらえるの？

**A** 社会の「かち」のために
はたらいた時間や
ろう力を「お金」にして
わたすんだよ。

お金は「かち」を数字にしたもの、とせつめいしましたが、お金を手に入れるために「はたらく」ことがひつようですよね。「はたらく」ことは、社会のために時間やろう力を使うことです。そして**その時間やろう力の「かち」をお金であらわしたきんがくが「きゅうりょう」として、はたらいた人にわたされるのです。**

はたらくということは、けんぽうで「国民のぎむ」と決まっていて、お金を手に入れるほうほうのひとつであり、社会のために生きるという意味でとても大事なことです。家庭によっては、仕事で「きゅうりょう」をもらうのではなく、そうじやせんたく、りょうりなど家のようじをしていることがあります。これも社会や家庭の生活を守る、仕事をしている人をささえるという意味で、同じように大事な仕事をして「はたらいている」ことになります。

そうやって手に入れたお金をためたり、家族で分けたり、お金を使って食べ物や服など「もの」を買ったりすることで、人は毎日生きていけるのです。いっぱいお金をためて家や車を買うこともありますし、じゅくに通えたり、ゆうえんちや旅行に出かけたり、くらしをゆたかにもできます。

大切なのは、いま手元にある「お金」を使うばかりでなく、しょうらいひつようになる「お金」のことを考え、できるはんいでお金をためるなど、けいかくてきにお金の使い方を考えることなのです。

# Q これってなんで？

# 「ちょきん」って ひつようなこと？

家族に
「ちょきんしなさい」って
よく言われるけど、
いま使っちゃ
ダメなの？

# A いま使うか、 みらいに使うか、 どっちが「かち」が あるかを考えてみよう。

おこづかいやお年玉をもらっ
たら、すぐに使いたくなります
よね。ほしい物はいっぱいある
けど、高い物はまだ買えないか
ら、手元にあるお金で買えるも
のを買おうかなぁ……ってなや
んだりまよったり。もし、そこ
でお金を使わずにちょきんする
と、もっとねだんが高くてほし
い物、しょうらいほしくなる物
を手に入れることにつながりま
す。ちょきんとは、そのときの
お金のかちをみらいにそなえて
手元においておく、ということ
なのです。お金をぜんぶ使って
しまったら、手元のお金はなく
なり、つぎに何も買えなくなり
ますよね。

　ちょきんをするいちばんのも
くてきは、**いま見えているみら
い、まだ見えていないみらいの
ことを考えて、それにそなえて
「かち」を手元においておきな
がら、けいかくを立ててお金を
使うことを考えるためではない
でしょうか。**

　でも、ちょきんするよりもい
ま使うほうが「かち」が高い場
合もたくさんあります。お金を
使って本を買ったら「お金」と
してのかちのかわりに、本とい
う「もの」のかち、その本を読
んで「楽しむ、学ぶ」というか
ち、「ゆたかさ」「ちしき」とい
うかちを手に入れることになり
ます。そのかちは、もしかした
らお金よりもはるかに大事なも
のかもしれません。

　お金を使うかどうかを考える
ことは、手元のお金と引きかえ
にいまべつのかちを手に入れる
のがいいか、ちょきんしてみら
いに使うほうがいいか、手に入
れようとしているかちはいまの
自分にとって本当にひつよう
か、まんぞくできるかどうかを
考える、ということなのです。

# お金のかちって ずっとかわらないの？

ちょきんしておけば、
お金の「かち」は
ずっとかわらず
持っておけるの？

**A お金の「かち」は かわるもの。**

「かち」はへってしまうことが
あるかもしれないよ。

銀行にあずけたり、ちょきんばこにためたりしているときは、お金の「きんがく」はへることはありません。でも**「きんがく」はかわらなくても「かち」はへってしまうことがあるのです。**

たとえば、150円のハンバーガーが250円にね上がりしたとしましょう。ハンバーガーのざいりょうや中身は150円でも250円でも同じだとすれば、同じハンバーガーを手に入れるために100円多くひつようになるということは、物のねだん（かち）にたいしてお金の「かち」が下がったことになります。このじょうたいのことを「インフレ（インフレーション）」といいます。

ぎゃくに、150円のハンバーガーが100円にね下がりすれば、同じお金で多くの物（かち）を手に入れることができ、お金の「かち」が上がったことになります。これを「デフレ（デフレーション）」といいます。

みらいに使うことを考えてけいかくを立てながらお金をためることは大切ですが、もし100万円をそのままずーっと持っていても、10年〜20年後に物やサービスのねだんが高くなっていれば、100万円で手に入れられる「かち」はへってしまいますよね。

このようにお金のかちはずっと同じままではないので、**お金はためるだけでなく「ふやす」考え方も大事ですし「かち」や「まんぞく感」を考えてよいと思ったときに使うという考え方も大事なのです。**

# スマホをかざすだけで お金が使える？

お札やこうかじゃないお金ってあるの？
家族はスマホで
買い物をして
いたけど……。

おしはらい

**A** 持っているお金を
データにかえてしはらう
「電子マネー」も
お金のなかまだよ。

お札やコインではなく、持っているお金のきんがくをデータにかえてお店や受けとる人に送ることで、じっさいにはらったのと同じ「お金のいどう」を行うことができます。**このお金のことをいっぱんてきに「電子マネー」といいます。**

たくさんお札を持ち運ぼうとしたり、こうかがいっぱいになったりするとさいふが重くなりますよね。でも「電子マネー」は、スマホのアプリやICカードにお金のデータが入っているので、お金の多い少ないにかんけいなく、持ち運びにべんりです。もし町で落としたとき、じっさいのお金だとなくなってしま

うともどってきませんが、アプリやカードの中にはスマホやカードをロックしてほかの人に使われるのを止めることができるものがあります。

JRが発行して電車にのるときに使えるSuicaやICOCA、スマホアプリのPayPayやd払いなど、電子マネーにはいろいろなものがあり、そのしゅるいによって使えるお店が決まっていたりします。

このように、さいしんのぎじゅつやネットのしんぽで、じっさいのお金を持っていなくてもお金と同じように使えるデータのやりとり・しくみができているのです。

# スマホで買い物した お金はどこから 出ているの？

ネットでも買い物ができるけど、
どうやってお金を
はらっているの？

**A** いろいろおトクになる
「クレジットカード」を
使っている人が多いよ。

大きなショッピングセンターに行かなくても、いまはスマホひとつでネットで買い物ができるようになりました。大きな重いものを運ばなくてもいいし、べんりですよね。

そんなとき、**多くの人がしはらいに使っているのが「クレジットカード」です。**仕事をしている大人が作ることができて、すぐに手元からしはらわれるのではなく、カードの買い物で使った合計きんがくが1ヶ月くらい後に銀行のこうざからまとめてしはらわれます。

クレジットカードを使うと、まとめて後ではらったきんがくにおうじて、ポイントやひこうきのマイルとしてもどってくるので、その分トクになります。でもどれくらいのお金を使ったかをしっかり自分で分かっていないと、使いすぎて後になってお金がたりない！　ということになってしまうので、気をつけるひつようがあります。

そのような心配がないはらい方が「銀行（ゆうびんきょく）ふりこみ」「代金ひきかえ」です。「ふりこみ」はお店の銀行こうざにお金を送らないと買った物がとどかないしくみですし、「代金ひきかえ」ははいたつされたときにお金をはらわないと、品物を受けとることができません。

Q これってなんだ？

# 「あと払い」って いつお金をはらうの？

お金が手元になくても
買うことができるって
ホント？

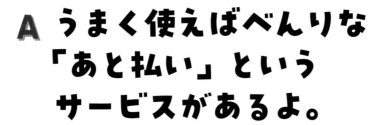

**A** うまく使えばべんりな
「あと払い」という
サービスがあるよ。

ネット上には、お金をじっさいにはらうより前に、先に品物を受けとれるお店があります。このしくみを「あと払い」とよびます。べんりなサービスですが、お金をはらうまでの間、あなたは「お金をかりている」ことになるので、買った物を受けとった後、きちんと決められた日までにコンビニなどでお金をはらい「お金を返す」ひつようがあります。このとき、買ったきんがくに「手数りょう」がプラスされるので、少し多くお金をはらうひつようがあります。

でも（96 ～ 97 ページでお話しした通り）、ずっとお金を手元においていたら「かち」が下がってしまうことがあるかもしれないので、こういったサービスをうまくりようするという

考え方もあるのです。

みなさんのようなみせい年者は「本当にちゃんとお金をはらえるかどうかが分からない」ので、このしくみを使うには「ほご者（両親など）の同意」がひつようというルールになっています。でも、ほご者がよく分からずにきょかを出してしまって、とても高い買い物をしてしまった、お金をはらうのがおくれた、友だちにお金をかりてしまった……などの問題がじっさいにおきているので、注意がひつようです。

みなさんは、小さいころから「かりたものは返す」というルールを教わってきたと思います。同じように **「本当に自分がはらえる買い物かどうか」** をしっかり考えることが大事なのです。

# Q お金ってかんたんに かりてもいいもの？

これってなんだ？

ほしい本を見つけたんだけど、
おこづかいがたりない。
友だちに
お金をかりようかな。

# A 子どもどうしの お金のかしかりは しないで。

大きなトラブルにつながるかも。

おこづかいがたりないということは、お金をかりてもすぐに返せないということ。かりに「1週間後には返せる」と思っていても、やくそくを守れず、いろいろなトラブルになるかもしれません。

もしお金をかりたとして、きちんと返そうと思って「来週返すね」と言ったはずなのにとつぜん「明日返して」と言われたり、300円かりたのに「500円かしたはず」と言われたり……。思ってもいないようなことを言われてケンカになり、べつの友だちや大人までまきこんだり、友だちをなくしたり、イヤな気持ちで心にきずがついてしまうかもしれません。

ぎゃくに、お金をかしてと言われたらどうでしょう。「すぐに返す」と言っていたのに返してくれなかったり「返してよ」と言いにくかったり「えっ？いくらかりてたっけ？」なんてことを言われたりするかもしれません。ですから、もし「お金をかして」と言われたら「家のルールでダメって言われてるんだ」などとやさしくことわるようにしましょう。

**人と人のお金のかしかりは、口やくそくだけではおたがい守ることがとてもむずかしく、大人でもトラブルになったりしやすいので、子どもどうしでするべきではありません。**子どもであるみなさんは、お金をかしかりしない、持っているお金でいま買うか、お金をためてみらいに買うかを考えることが大事なのです。

これってなんだ？

# Q 会社などからであれば、お金をかりてもいい？

お金のかしかりって
悪いことなの？
お金をかしてくれる
会社もあるよね。

## A きちんとした会社から
## お金をかりるのは OK。

でも「返すこと」を
しっかり考えるひつようがあるよ。

　銀行などきちんとした会社が
ほうりつのはんいでお金をかす
こと、決められたルールの中で
大人がお金をかりることはでき
ます。このしくみを「ローン」
といいます。ただし「りし（利
子）」というひようがかかるの
で、お金を返すときにはかりた
きんがくより少し多めに返すひ
つようがあります。

　車や家を買うときにはこの
「ローン」がよく使われますが、
お金をかりるときには、その人
にしんようがあるか、きちんと
仕事をしているか、返せるだけ
のお金をかせいでいるかなどが
調べられます。

　ルールを守ってきちんと返せ
る人にとってはべんりなサービ
スですし、会社やお店をはじめ
たい、大きくしたいという人が
お金をかりることは、仕事をはっ
てんさせたり、日本のけいざい
をよい方向に進めるためにたい
せつなことでもあるのです。

　でも、もしお金を返せなかっ
たら、しょうらいずっと「しん
よう」をなくしてしまい「あな
たはお金を返せない人ですね」
と見られつづけ、仕事やふだん
の生活などでできないことがふ
えてしまうのです。

　どんなときでも「お金をかり
る」ときには「きちんと返せる
かどうか」を自分できっちり考
えるひつようがあるのです。

こんな時に使えるコトバ

# ローン

　英語のLoanからできた言葉
で、もともとはお金などをかす、
という意味。日本では「お金を
かすしくみ」や「お金をかりる
（しゃっ金をする）こと」をさ
す言葉として使われる。こじん
（人）ではなく仕事をする会社
やお店のためにお金をかしかり
することは「ローン」ではなく
「ゆうし（融資）」という。

第1章　第2章　第3章 お金ってなんだろう？　第4章

107

Q
これってなんで？

# 世界のお金って どうなっているの？

ニュースで聞く「円安」って、
日本円のきんがくは
高くなってるよ。
なぜ安いって言うの？

**A** ドルなど世界のお金の
ほうから見て、
日本の「円」のかちが
安くなっている
からだよ。

日本のお金（つうか）のたんいは「円」ですが、世界には「ドル（アメリカ）」「ユーロ（EU）」などさまざまな「たんい」があります。ですから、**日本のお金のかちと、世界各国のお金のかち・ねうちが、どれくらいで同じになるのかを決めておくひつようがあります。** これを「かわせレート（為替相場）」といい、毎日へんかしています。ニュースで「1ドル125円でとりひき」などと言っているのは、1ドルと同じかちになる日本の円はいくらなのかをつたえているのです。

あなたが1ドルのみかんを買いたいと思ったとき、100円はらうのと140円はらうのとではどちらが安いと思いますか？1ドル＝100円のときは、100円出せばみかんが手に入るので「円」で考えると安くなりますね。でも「ドル」で売る人にとっては、みかん1こを売って100円しか手に入らないので、円のほうが「ねうちが高い」ことになります。これが「円高」です。

でも同じみかんが140円だと「ドル」で売る人はよりたくさんの円が手に入ります。つまり、円のほうが「ねうちが安い」＝「円安」となるのです。

わたしたちの生活は外国から、食べ物、ものを作るげんりょう、商品などたくさんのものを買うことでささえられています。ぎゃくに、自動車など日本で作った商品などを海外に運んで売っています。このように、国と国の間でたくさんのものを売ったり買ったりし合っています。ですから会社やお店にとっても、わたしたちの生活にとっても、円のかち、円高・円安はとても大きなえいきょう力を持っているのです。

# いっぱいギフトを
# おくりたい！

すてきなライバーさんを見つけた。
ライブはいしんで
いっぱい「ギフト」を
おくりたいんだけど……。

# A むちゅうになりすぎるのは
# 気をつけて。

ネット上で見えなくても
お金はお金だよ。

オンラインゲームのアイテムがほしいとか、ライブはいしんでギフトをおくりたいとか、アイドルやアニメのげんていグッズがほしいとか、ネットではいろいろな場面で「お金」を使いたくなることがあります。

ネット上でアプリのサービスを使いお金をはらうためには、ほご者の人にクレジットカードを使うこと、アプリを使うことの「きょか」をもらうことがひつようです。でも、使えるお金をせいげんしていなかったりして、ゲームにむちゅうになりすぎた子どもがアイテムをどんどん買って10万円いじょう使ってしまった、などのトラブルがじっさいにおきています。

**ネットの世界では、本物のお金が見えていない、クリックす**るだけで買えてしまう、使ったお金の合計がすぐに分からないなど「お金」のかんかくがおかしくなるということがあります。** ですから、みなさんは、じっさいのさいふのお金と同じように、ネットでも「今日は●●円使った」「さいふから●●円へったことになる」「今日はこれぐらいにしておこう」などとお金についてしっかり考えること、けいかくてきに使うことをいしきしてみてください。

使えるお金のがくについて家の人とルールを決めたり、自分の心の中でむちゅうになりすぎないよう気をつけたり、「見えない」お金を使いすぎないことに注意することが、これから大人になっていく中で大事になると思います。

# Q. これってなんで

## お金ってどうやったら ふやせるの？

お金をふやすって、
どんなやり方があって、
どれくらいふえるの？

**A** **銀行にあずけたり
お金のプロにまかせたり
いろいろなほうほうが
あるよ。**

でも「リスク」によっては
へってしまうことも。

もしお金を「銀行にあずける」なら、銀行はしんようがあり会社も大きいので、まずお金がへることはありません。でも安全な分、ふえ方は小さくなります。

いっぽう、自分がえらんだ、おうえんしたい会社の「かぶ」を買う「株式投資（かぶしきとうし）」というほうもあります。会社はかぶを売って手に入れたお金を使って仕事をすすめます。この仕事が大きくなってせいこうすると「かぶ」のねだんが上がるので、買った人はそこで「かぶ」を売ることでお金をふやせます。も

のすごくせいこうすれば、たくさんお金がふえることになりますが、もしせいこうしなければ「かぶ」のねだんは下がり、そんをすることになります。ですので、株式投資（かぶしきとうし）は「リスクが高い」といわれることがあります。

つまり「リスク」を考えることは、どれくらい「ふやしたいか」どれくらい「ドキドキするか」をえらぶこと、とも言いかえることができます。ふやし方ごとに「ドキドキ」の大きさがちがうので、**どれくらいの「ドキドキ」を受けいれるのか、お金のふやし方は人それぞれがえらぶひつようがあるのです。**

こんな時に使えるコトバ

# リターンとリスク

もともと「リターン」とは「返す」、「リスク」とは「きけん」という意味で、お金の世界でリターンは「お金がどれくらいふえるか」、リスクは「お金がふえること（リターン）がどのくらいかくじつか」の考え方のことをいう。リスクが大きい（高い）とは「お金がすごくふえるかもしれないし、ぎゃくにへってしまうことも考えられる」という意味に、リスクが小さい（ひくい）とは「お金のふえ方は小さいが、元のお金がへることは考えにくい」という意味になる。

# お金をすぐに ふやしたい！

お金をすぐに
ふやすほうほうって
ないのかな？

**A** 「すぐにふえる」
という話や
せんでんがあっても、
しんじないのが
いちばん。

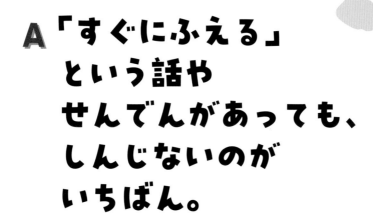

どうせお金をふやすのであれば、少しでも短い時間でたくさんのお金をふやしたいと思いますよね。そう考えるのはしぜんなことかもしれません。

でも、銀行にあずけたり「かぶ」を買ったり、どんなほうほうでもたくさんお金をふやすには何年も時間がかかると考えるようにしましょう。ひと月や1年といった短い時間で、銀行や「かぶ」よりもたくさんお金がふえる……といったほうほうはぜったいにありません。

でも、**世の中には「お金を早くたくさんふやしたい」と考える人をねらって、じっさいにはできない「もうけ話」でお金を集めようとする悪い人がいま**す。「あずけたお金が1年で2倍になります」「お金がふえるチャンスはいましかありません」などと言ってお金を集めたものの、じっさいにはお金をふやせなかったり、そもそもふやそうとしなかったりして、悪い人にお金を持っていかれて、お金を出した人にはまったくお金が返ってこない、というじけんがじっさいにおきているのです。

このような「はんざい」やトラブルにまきこまれないためには、「すぐにふえる」という話やネット上のせんでんを見ても「そんなことはあるはずない」と考えること、ぜったいにしんじないことがとても大事です。

# Q
これってなんで？

# 高い・安いってなんで
# 感じるんだろう？

とてもおしゃれな服が
セールで安く手に入ったよ。
すごくトクした気分。

# A 「トクした」「安い」
# と思う理由を
# じっくり考えてみよう。

買い物をするとき、わたしたちは「高い」「安い」と考えることがとても多いですね。でも、どうして「安い」「トクした」などと思うのでしょうか。そう思ったことは正しいのでしょうか。

服が安くおトクに買えた！と思ったあなたは何とくらべましたか？　ねびき前の「ていか」ですか？　べつのお店で見た同じような服のねだんですか？　それともデザインやサイズを見て「この服は長い間着られる」と考えたからですか？

**買い物で「安い」と感じる心の中では、あなたが知っている「ねだん」や「かち」など多くのじょうほうをものさしにして、お金とこうかんするだけの「かち」があると考えているのです。**

ただ、買った服をいちど着てしまうと、その服が元のねだんで売れることはほとんどありません。つまりお金にかえられる「かち」は、買ったしゅんかんにほぼゼロとなるのです。でも、そのかわりにおしゃれに見られる、寒さをしのげる、心がゆたかになる、長持ちしそう、まんぞくだ！　などの「かち」がえられるのです。

このようにほとんどの買い物のときには、お金とこうかんしたものの「かち」がゼロであっても、ひきかえに手に入れる「まんぞく」などの「かち」を感じることができるか、その「かち」はいま本当にひつようなのかを、さまざまなけいけんからえたじょうほうを「ものさし」にしながら考えることがとても大事です。それが「おトクな買い物」「上手にお金を使うこと」につながるのです。

# みらいのお金は どうなる？

みらいのお金って、
もっとべんりに
かわったりするのかな？

**A** すでに
「デジタルつうか」を
発行している
国があるよ。

世界の長いれきしで、お金のはじまりはもともと「貝」だと言われています。それが、持ち運びにべんりな「こうか（コイン）」や「お札」になり、いまインターネットをりようした「電子マネー」ができると、お金はお札やこうかという「もの」にくわえて「データ」として使われるようになりました。Suica などの IC カードや PayPay などの QR コードは、円というお金をデータにかえて使えるサービスだと言えます。

そしていま世界では、国が発行するじっさいのお金をデータにしてべんりにしよう、という「デジタルつうか」を作る動きが出ています。中国ではすでに「デジタル人民元」をスマホなどで使うじっけんが行われています。

国のお金がさいしょから「データ」になると、会社からもらうきゅうりょうも、銀行にあずけたお金も、お店で買い物をするときも「データ」でやりとりできるので、お札やコインを使うひつようがなくなる……と考えられています。

いっぽうで、いつどこでいくらお金を使いなにを買ったか……などの「きろくデータ」を国が勝手に使うかもしれないこと、ぬすまれてしまうかもしれないことが問題だ、という意見があります。

また世界では、お金がこくさいてきなはんざいなど悪いことに使われないように、こうした「データ」の活用がとても大事だ、お札などじっさいのお金が使われなくなるのでは、と考える人もいます。

こういったぎじゅつやあつかう人、せいじの問題をかいけつして、より安心な社会を作れるかどうか、いろいろな国でけんきゅうや話し合いが行われているのです。

119

# 子どもと広告のいい関係とは？

誰もが手軽に接触できるテレビというメディア。そのCM考査の仕事をするうえで意識するのが「自分の子どもがこれを見たらどう思うだろう」という視点です。

CMは購買力をもつ大人や若者をターゲットにしたものが大多数ですが、それらを子どもも見るという視点で考えると、ギャンブルや性的な興味を刺激するような表現・絵柄はもちろんNGです。そしてそれら以外にも、大人にとって違和感がなくても子どもにとって適切とは言えない表現があるのです。

「●●を持っていればクラスのヒーローだ！」というような子どもの優越感をあおる表現が良くないことは分かりやすいと思うのですが、たとえば家庭内で家族が怒鳴り合うシーン、交通法規に抵触する行為の特撮、CGで制作した戦闘場面などのフィクションで表現するCMがあったとすれば、「※CM上の表現です」と注釈が入っていたとしても子どもにとっては現実との区別が難しいですし、身体的な悩みを解決に導く商材ではコンプレックスやルッキズム助長の心配があり、子どもの人格形成や価値観、嗜好、消費概念への影響を踏まえるともう少し表現に配慮が必要なのでは……と感じることがあります。

さらに気になるのは、テレビだけでなくスマホなどの端末を通して子どもたちが接触するメディア（媒体）、コンテンツ、アプリにもこういった心配があることです。端末に紐づくターゲティング広告、SNSのインフィード広告や、投稿との見分けがつきにくいインフルエンサー

広告、ゲームアプリの中に出てくる広告など、多種多様の情報が子どもたちのまわりには存在しています。

広告は「商品やサービスの魅力を正しく伝え購買選択のための情報を提供する」という経済活動上必要不可欠かつ有益なメッセージです。それゆえ、社会性も未熟で判断力が十分育まれていない子どもへの影響を無視することがあってはならないですし、そういった子どもの特質を逆手にとったマーケティング手法や表現はなされるべきではありません。

私たちテレビは、この点を軽視することなく CM を考査し番組コンテンツを作っていく必要があります。また大人の方も、スマホやタブレットを利用する子どもたちがそういう情報に触れていること、大人が使う端末を子供に手渡したときには「大人向けの広告やコンテンツが表示される」ということを思い返していただき、子どもの心身の健全な発育に向けた配慮、子どもと広告のいい関係作りにぜひ気を配っていただければと思います。

# 第 4 章

# 正しい
# じょうほうを

# 見分けよう

# Q これってなんで？

# 友だちからの
# じょうほうはぜんぶ
# しんじていい？

〜〜〜〜〜〜〜〜〜〜〜〜〜〜〜〜〜〜〜〜

友だちが
「となり町の山で
すごいけむりが上がってる。
火事だ！」って言ってたけど、
なにもおきてなかったよ……。

# A 友だちの
# かんちがいかな。

すぐにしんじる前に
「じじつ」はどれかを
見つけてみよう。

もし本当に火事ならたいへんなできごとですよね。では、友だちはどこまで「じじつ」をかくにんしていたのでしょうか。

もし友だちがその火事のげんばに行っていない、しっかりかくにんしていない、遠くから見ただけ……だったなら、①「山」の中なのかすぐ近くなのか分からない、②「すごい」は友だちのかんそうかもしれない、③「けむり」は野やきやくんれんかもしれない……ということになり、「じじつ」と言えるのは「となり町」のほうで「けむりが上がってる」だけになります。

このように、**じょうほうを聞**いたときには、すぐにしんじる前に「じじつ」だけを見つけ出すクセをつけることが大事です。

そして「本当かな？」「人によってちがう受けとめ方・見方はないかな？」「ほかのじょうほうはないかな？」「感想や予想がまざっていないかな？」といったことを立ち止まって考えることが大事です。

友だちの言葉だけでなく、ネット、テレビや新聞で目にするじょうほうも、大人も子どももこの「リテラシー」をいつもいしきして「じじつ」と「感想や予想」をきっちり分けて受けとめる「ものの見方」をおぼえることが、じょうほうを正しく受けとるために大切なのです。

こんな時に
使えるコトバ

# リテラシー

もともとは読んだり書いたりする力のことで、いまは「たいおうする力」という意味で使われることが多い。「メディアリテラシー」とは、テレビや新聞、ネットやSNSという「メディア」のじょうほうを正しくりかいし、場合によっては「ウソ」を見ぬくためにひつような、ものの見方やのう力のこと。「ネットリテラシー」「ニュースリテラシー」などと使われる。

125

# 「フェイクニュース」ってなに？

ネットで「エネルギーや
げんりょうぶそくのえいきょうで
●●がね上がりしそうだ」
って書いてあった。
こまる前に家族に
教えてあげようかな。

## A それって本当？

じじつじゃないかもしれない
「フェイクニュース」には
気をつけて。

ネットにはたくさんのじょうほうがあふれています。でも、そこには「本当」のことにくわえて「ウソ」や「まちがい」もあるのです。じっさい2020年に「しんがたコロナウイルスのえいきょうでトイレットペーパーが足りなくなる」というウソがSNSに書きこまれ、それはまちがいだというじょうほうも広がったのに「もしかしたら売りきれるかも」と考えた多くの人が店へ買いに行ってしまい、本当に品ぎれに。

こういったウソの「フェイクニュース」のほか、**写真や動画でも「本当のようなウソ」（ディープフェイク）が作られ広まることがあります。**ネット

のぎじゅつが進むにつれて、こういった「ウソ」は見分けるのがむずかしくなっています。

では、なぜこのような「フェイク」が作られるのでしょうか。ウソをつくつもりがなかったもの、ふざけてわざと作られたものなどもありますが、いちばん問題なのは、まちがったじじつを広めてしんじさせることで、社会や人々をこんらんさせたりあやつったりするもくてきで作られるものがあることです。

また、ChatGPTなどで知られるAI（人工ちのう）も、まちがいをなくすまでにまだかだいがあるといわれています。

ですから、みなさんはこういった「フェイク」「まちがい」にまどわされないためのちしきを持っておくことが大事です。

こんな時に
使えるコトバ

# ディープフェイク

人間のようなちのうをコンピュータにもたせる「ディープラーニング」というぎじゅつを使って「フェイク（ウソ）」の動画を作るぎじゅつのこと。ウクライナのゼレンスキー大とうりょうの「ウソのえんぜつ動画」が作られたことがある。

# Q これってなんで？

# ネットのじょうほうって しんようできる？

ネットに「あついお湯を飲むと
インフルエンザがなおる」
って書いてあったよ。

あついお湯を飲むと
インフルエンザがなおる。

# A だれが書きこんだのかな。

ＳＮＳには「ウソ」もいっぱい……
しんじる前に考えよう。

SNS は「ウソ」だけでなく「ウソかホントか分からない」「ホントかもしれないけどかくにんされていない」じょうほうが流れやすいというせいしつがあります。「正しい」とかくにんできていないじょうほうを書きこんだり広めたりしても「せきにん」がはっきりしないのです。

たとえで考えてみましょう。さいしょは「●●を飲むと病気に"かかりにくくなる"というけんきゅうが進んでいる」という書きこみだったのに、それが SNS で人から人へつたわるうちに「かかりにくくなるけんきゅう」が「なおるらしい」というふうにまちがってつたわること、だんだん「本当でないこと」にかわって広がっていくこともあるのです。

**「さいしょにだれが何と言ったか分からないじょうほう」を「だれか分からない人が広めている」のを、さいしょからしんじていいのか、考えるひつようがあります。**とても有名な●●さんがアップしている……としても、その●●さんはなぜそのじょうほうが正しいと思っているのか、と考えてみてください。

SNS はだれでも自由に、名前を出さずにいろいろなことがはっしんできるからこそ、「じじつ」と「そうでないこと」をきっちり見分けることが大事になってくるのです。

**Q.** これってなんで？

# 動物園から
# 動物がにげたら
# 友だちに教える？

じしんのとき SNS で
「動物園の動物がにげだした」
って見た。
あぶないから
友だちに早く教えなきゃ！

## A さいがいのときこそ
## 「フェイクニュース」が
## おきやすく広がりやすい。

気をつけて！

じしんや大雨などさいがいのときには、じっさいのひがいのようすなど、いろいろなニュースやじょうほうがSNSに流れます。もちろん「本当」の「役に立つ」じょうほうもたくさんあるのですが、これまでに「ウソ」が流れ広まったことが何度もあるのです。

2016年のくまもと県のじしんでは「動物園からライオンがにげた」とウソの写真とじょうほうを流した人がけいさつにたいほされ、2018年おおさか北部じしんでは「電車がだっせんした」「シマウマがにげた」というウソのじょうほうがでました。2022年しずおか県の大雨ではAI（人工ちのう）で作られたウソのひがいのようすの写真がネットに流されました。

さいがいのときには新しいじょうほうをSNSで知ろうとする人や、親切心でいろいろなじょうほうを広めてたくさんの人につたえようと考える人が多くなります。そのときに悪い人がおもしろ半分でわざと「ウソ」を流すと、それが広まることで人びとの心をふあんにしたり、社会にこんらんを起こしたりします。そして「ウソを広めよう」なんてぜんぜん思っていない人が、そのときに正しいとかくにんできていないじょうほうを広めてしまうと、それがけっかてきに「フェイクニュース」を広めた人のひとりになってしまうのです。

ですから、**さいがいのときには、はっきり正しいと分かっているじょうほうだけを見るようにして、**ふたしかなじょうほうやうわさは自分から広めてはいけないのです。

# 正しいじょうほうは
# どうやって見分ける？

フェイクニュースって、
どうやって見分ければいいの？

**A** 「じょうほうげん」の
かくにんと
「じじつ」だけを
見つけることが
大事だよ。

ウソ・フェイクも多いネット上の多くのじょうほうの中から、あなたが「正しいじょうほう」だと見分けるには、どうすればいいのでしょうか。

さいしょに【そのじょうほうは、さいしょにだれがいつはっしんした？】【その「じょうほうげん」はしんようできる？】かをかくにんし、そのあと【同じじょうほうを、べつのしんらいできる「じょうほうげん」が出していないか？】をさがすことが大事です。国や県・市・区・町などのじち体やテレビや新聞が出すニュースなど、しんらいできるじょうほうげんが、同じじょうほうを出していないか調べること、見くらべることを心がけてください。

そのじょうほうに「●●なんだって」「●●らしい」「●●か

も」などのあいまいな書き方があれば「うわさやウソかもしれない」「まだじじつではない」と気づくことも大事です。

「フェイクニュース」は、本当のじょうほうにくらべてネット上で広がるスピードがかなり速いと言われています。すぐに目にとびこんでくる見出しや、人がきょうみをひきつけられるないようが多いので、じっくり読まないと大人でもだまされたりすることがあります。

あとになって「●●はまちがいでした」などという「ていせい」「本当のじょうほう」を出しても、同じように広がることはありません。だからこそ、フェイクを見分けて正しいじょうほうを手に入れる力は、これからどんどん大事になっていくのです。

# Q これってなんで？ テレビや新聞はしんらいできる？

どうしてテレビや新聞は、
しんらいできるじょうほうげんだと
言えるの？

# A じじつかどうかをていねいにかくにんする仕事を、長い間つづけてきたからだよ。

テレビや新聞が「しんらいできる」とされているのは、世界でも日本でも長い間ていねいにじじつかどうかをかくにん（しゅざい）する仕事をしてきて、**時間をかけてできた「じじつをつたえてくれる」というしんらいを多くの人がもってくれているからなのです。**

テレビには「ウソを流してはいけない」というほうりつ（放送法）やルール（番組基準）がありますし、新聞も「正しいことをつたえる」というしめい・げんそくをそれぞれの会社が決めています。

じょうほうのかくにんも、国やじち体、役所やけいさつ、大きな会社、じょうほうのもとになった人々などに「ちょくせつ」行うため、じょうほうを出すまでに時間がかかることもありますが「せいかくであること」が

なにより大きなやくわりなのです。

さいきんは「テレビや新聞はしんようできないよ」という意見を言う人もいますが、長い間じょうほうをつたえてきたれきしと、さいがいなど大きなニュースがおきたときのしんらいはとても大きいと思います。

いっぽうネットには、こうしたれきしやしんらいのある「じょうほうげん」が多くないので、テレビや新聞はこれからも「せいかくなじょうほう」をとどけるために、しっかりどりょくしていくのです。

SNS などで目にする「ネットニュース」にも、テレビや新聞が流しているものがあるので、そのじょうほうげんをかくにんすることをいしきしてみてください。

**Q** これってなんで？

# テレビと新聞、とどけるニュースがちがう？

テレビや新聞によって
あつかうニュースが
だいぶちがうよね？

**A** かくにんできた
ないようや、
どのニュースが
大事かの
考え方が
ちがうからだよ。

テレビや新聞のやくわりは、会社がちがっても大きくかわりません。でもすべてのテレビや新聞が同じニュースやじょうほうを同じように出しているわけではありません。それは、それぞれの会社によって「どのニュースが大事なのか」「どのじょうほうを長くつたえようか？」「かくにんできたじじつのうち、どれをつたえるべきか」など考えがちがうので、つたえるじゅんばんやないよう、大きさや長さがちがってくるのです。

**新聞は、つたえるニュースについて「さんせいか、反対か」などの考えが会社によってちがっていますし、テレビでもいろいろな意見を放送しているので、テレビ番組や新聞をいくつ**も見ることで、はば広いニュースや意見、考えを知ることができます。

さいきん、テレビや新聞が出すニュースやじょうほうが「かたよっている」「なんだかおかしい」「しんようできない！」という意見を言う人も出てきましたが、テレビや新聞もふくめて、じょうほうについて「ホントかな？」「べつの見方はないかな？」「ほかに見なきゃいけないじょうほうはないかな？」などと考えて知ること、ものごとのはば広い見方を身につけることがなによりも大事だと思います。そして、それがフェイクニュースに気づける力、じょうほうを正しくとらえる力につながるのです。

**Q** これってなんて？

# こうこくは
# いいじょうほうだけ
# のってる？

テレビだけでなく
ネットでもよく CM を見る
さいしんゲーム。
みんなもってるんだ。
ぼくもほしいなぁ。

**A** あちこちで見る
「こうこく」も
じょうほうのひとつ。

しっかりないようを見てみよう。

テレビや YouTube で流れるコマーシャル、新聞や SNS で目にするせんでんなどは「こうこく」とよばれます。

会社の商品やサービスのことを社会に広くつたえるやくわりがあり、町のビルや駅のかんばん、電車やバスの中でみるチラシや動画も「こうこく」のなかまです。多くのこうこくは新しい商品やサービスのいいところをつたえ、人々に買ってもらう、りようしてもらうことをもくてきにしています。また、**こうこくも「じょうほう」のなかまですので、つたえるないようは、ほうりつやルールを守ったもの**でなければなりません。

でも、中にはルールを守っていなかったり、おおげさな言葉を使って、その商品やサービスを少しでもよく見せたりするこうこくがあるのです。

また、子どもむけのこうこくだと、その商品を持っていないとなかまはずれになるようなせんでんもやってはいけないのです。

商品のこうこく（えいぞうやせつめい）を見て「ほしいなぁ」とワクワクするのは OK ですが、そのじょうほうを見たときには、いちど立ち止まって考えることが大切です。

# 有名人の話はぜんぶ しんじてもいい？

大すきな YouTuber が
動画で●●を
オススメしてた。
すごく
気になるなぁ。

# A それって「ステマ」かも。

いいことしか話していなければ、
気をつけよう。

YouTuber や SNS で人気がある人・有名な人が CM ではなく、ふつうの動画で●●という商品・サービスをしょうかいしていたとしましょう。動画はコマーシャルのような感じではないし、有名な■■さんが話していたのだから、きっといいものかもしれない……と考えて、その●●がほしくなったりしますよね。

でもそれが「本当の感想」ではなく、もし「せんでん」で■■さんがお金をもらっていたとしたら、あなたはどんな気持ちになりますか？「コマーシャルと同じじゃん」とモヤモヤしませんか。

このように、本当はせんでんなのに、見ている人に「こうこく・せんでん」だと気づかれないじょうほうはっしんは「ステマ」とよばれ、よくないせんでんほうほうなのです。

いま国ではステマをしたこうこくぬし（●●を作っている会社）を、ほうりつにもとづきしょぶんできるルールを作ろうとしていますが、それをつたえた人も「あの人はステマをやっていたよね」と見られます。

ただし「これはタイアップです」「#（ハッシュタグ）PR」などとはっきり分かる形で「せんでん」だとしめされていれば、ステマにはあたらないと考えられているので、気をつけて見てみてください。

こんな時に
使えるコトバ

# ステマ

ステルス（人目につかない）マーケティング（売れるためのしくみ）のりゃく語で、せんでんと気づかれずに「とてもいいもの」などと高いひょうかを思わせるじょうほうをはっしんすることをさす。しょうひ者をだます問題があるほうほうとされている。

# Q 「せんでんしてね」って 言葉にはよう注意？

人気のコスメを買ったら
「SNSに『良かった』
って書いてくれたら
わり引クーポンさしあげます」
ってメールがきたよ。
やってみようかな。

# A 自分がそう思っていないのに 「いいこと」を書くのは やめたほうがいいかな。

いちど商品を買うと「知り合いにすすめてほしい、広めてほしい」と考える会社がふえています。本当に「使ってみてよかった」と思う気持ちがぜんぜんないのに「わり引クーポン」や「ポイント」をあげますなどと、あなたがトクすることを言われて、それを目当てに商品のいいことを書くこと、友だちをしょうかいすることは、かるいウソをつくこと、ステマのはじまりにつながるので、やめておいたほうがいいと思います。

ぎゃくの立場で考えてみましょう。友だちから、本当はいいと思っていないのに「●●はとっても良かったからいちど買ってみて」と言われたらどう思いますか？　その友だちが「わり引クーポン」をもらってトクしていたと知ったら、どんな気持ちになりますか？

ステマは、有名人やその商品のメーカーだけでなく、あなた自身がかんけいするところでも見かけることがあるのです。知りあいで「ステマ」だと思われるようなことがあったら、友だちかんけいがおかしくなってしまうことだってあるかもしれません。**「トクをするためにオススメする」「たのまれてオススメする」**のは、しないほうがいいと思います。

Q
これってなんで？

# 飲んだらやせる
# サプリってあるの？

さいきん太ってきちゃった……
ネットでみた「飲んだらやせる」サプリが
ほしいなぁ。

飲んだら
やせる!?

# A せんでんのないようや、
# じょうけんには
# じゅうぶん気をつけて。

「飲んだらやせる」と出ていたサプリのせんでんは、どこにどんなふうに書いてありましたか。サプリは薬ではなく食品にあたるものが多く、こうこくに「1ヶ月飲んだら5キロやせる」と書いてあれば、ほうりつにもとづくルールいはんにあたると思います。なによりそのせんでんが**「飲むだけで」（やせる）と思わせるようなひょうげんだと、ルールいはんのこうこくであるかの**うせいが高いと言えます。

　また「はじめて買う方は480円！」とおこづかいで買えそう

なきんがくであっても、安いのはさいしょの1回だけで、毎月送られてくるもうしこみだったり、買うのをストップするれんらくが電話でだけだったり（しかもその電話がなかなかつながらなかったりすることがある）、後になってこまるようなじょうけんが、べつの場所や小さい文字で書かれていたりするので、そういったこともももうしこみの前にじゅうぶんかくにんするひつようがあります。

　気をつけてチェックしてみてくださいね。

# Q

これってなんぇ？

# 人気ナンバー1って
# ホントなのかな？

どのコスメにしようか
まよっている。
やっぱり「人気ナンバー1」の
コスメがいいのかな？

# A その「ナンバー1」って
# 本当にしんようできるか、
# 気をつけて見てみよう。

テレビやネットで、「●●ナンバー1」「お客さままんぞくど●●％」といったひょうじをよく見かけるようになりました。

もちろん、きちんと調べた「ナンバー1」もたくさんあるのですが、そうではなく、ほうりつにもとづくルールいはんや、しょうひ者からみてしんじることができない「ナンバー1」もじっさいにあったりします。

というのも、たとえば、①その商品・サービスを使ったことがない人へのちょうさ、②調べた人数がものすごく少ないちょうさ、③●月●日の●時からたった●分だけの売り上げナンバー1、④「ライバル」の商品・サービスをえらびにくくするアンケートちょうさ……など、少しでもその商品・サービスをよく見せようとする調べ方がじっさいに行われているのです。

気になる商品の「ナンバー1」を見かけたら、すぐに「人気あるんだ」「ひょうばんいいんだ」とは思わずに、**じっさいに使ったことがあるたくさんの人に聞いているか、どのようなほかの商品とくらべたのか、いつどれくらいのきかんにナンバー1になったのか、などに注目してはんだんしてほしいと思います。**

ちょっとずるい「ナンバー1」は、きちんとしたナンバー1のほかの会社のしんようをなくすだけでなく、しょうひ者をまよわせたりだましたり、こうこく全体のしんようをなくしたりすることにつながるので、たいさくがもとめられています。

**Q** これってなんで？

# 当せんメッセージは
# しんじてもいい？

いきなり
「あなたが当せん！
●●が１ヶ月分むりょう！」
ってメッセージが
来たんだけど……。

## A すぐにとびつかないで。

ちょっとあやしい
「こうこく」かもしれない。

SNSをやっていると、とつぜん知らない人や会社から「あなたが当せんしました」「今なら●●がむりょう」といったメールやメッセージがとどくことがあります。そもそも「知らない」人がなぜ自分のあてさきを知っているのか、だれかがしょうかいしたのか……などと考えると、気味が悪いですよね。こういったものであなたに商品を買わそうとしたり、だまそうとしたりするスパム（めいわくメール）のかのうせいがあるので、すぐにとびつかないことが大事です。

もし、自分の住所や名前などを送ってしまうと、そのじょうほうが悪用されたり、思っていたより高い商品を買わされたり、トラブルになることが少なくありません。なので、本当にきょうみがあるなら、じっくりとその商品や会社のことを調べるようにしましょう。

ほかにも、知らない会社などから「アンケートに答えてくれたらポイントプレゼント」「よく当たるうらないがいまならむりょう」などと、きょうみのあるないようであなたのこじんじょうほうを知ろうとしたり、商品を買ってもらおうとしたりすることがあるので、こういった「さそいもんく」にはとくに注意して、かんたんにもうしこんだりしないよう心がけてください。

**Q**

# スマホにでてくる
# へんなこうこくには
# 注意！

家族のスマホで
ゲームをしてたら、
とつぜんへんなせんでんが
出てきたよ。

**A** 子どもによくない
こうこくかも。

家族（スマホの持ち主の大人）に
話してみよう。

子どもが使うスマホやタブレットなどは、きちんとせっていすれば、子どもにふさわしくないサイトやこうこくにつながることはほぼありません。でも、大人が使っているスマホだと、子ども向けのゲームやアプリであっても、子どもが見るのによくないこうこくが出てくるかのうせいがあります。むりょうで使えるアプリやゲームでは、りようしているさい中に「使っているスマホの持ち主のデータ（年れいやせいべつなど）に合わせたこうこく」を出すことでむりょうとしているものが多く

あるからです。

たとえば、てきをてっぽうでうちたおしていくゲーム、気持ち悪いゾンビがたくさん出てくるゲーム、18さいや20さいにならないとできないギャンブルアプリ（オンラインカジノやけいばなど）、性的なひょうげんのあるゲームやアプリなどのこうこくが出てくるかもしれません。それらを見て、へんな思いやイヤな思いをしたら、**すぐにしんようできる大人に「こんなこうこくが出てきたよ」と話すようにしましょう。**

**Q** これってなんで？

# さぎメールは
# クリックしちゃダメ！

とつぜん、
ショッピングサイトから
「システムトラブルのため、
しきゅうログインしてください」
ってメールがきたんだけど……。

## **A** あなたをだまそうとする
## 「さぎメール」。

ぜったいにメールの中を
クリックしないで。

メールなどを使っていると、有名なショッピングサイトの名前で「システムトラブルのため、アカウントをロックしました。しきゅうこちらからログインしてかいじょしてください」「このアプリをしきゅうインストールしてください」などといったメッセージがとどくことがあります。

このようなものの多くは、あなたのIDやパスワード、パソコンの中身をぬすもうとする「さぎメール」です。メッセージのないようにしたがって「こちら」などというボタンをクリックすると、本物そっくりのニセのログイン画面が出てきたり、あなたのパソコンに「スパイウェア」とよばれるソフトを勝手に入れられたりして、ファイルやこじんじょうほうをぬすまれたりするひがいを受けるかのうせいがあるのです。

**本物かどうか見分けがつかないような「さぎメール」もふえてきており、悪いことをたくらむがわのやり方もしんぽします。**

なによりこういったメールやメッセージをみたら、ぜったいにあけたりクリックしたりしないことが大事です。ただし、本物かもしれない、見分けがつかないということもあるので、気になるようならメールの中をクリックするのではなく、ブラウザから「そうしんもと」のサイトへ自分からアクセスする、電話で問い合わせるなどのほうほうで、メールのないようが本当かどうかを調べるようにしましょう。

# ネットはてがるに じょうほうが 手に入る！

いろいろなじょうほうが
手に入るネットは
ホントにべんりだね。

## A べんりなのは
たしかだけど、
本当に大事なのは
じょうほうを使う
「人」だよ。

ネットを使っていると、よく見に行くニュースサイトがかぎられてくることがあります。そのため「パーソナライズ」「リコメンド」といわれる、オススメやけんさくけっかが自動てきに自分の好みになってくるしくみがあります。こうしたきのうは、とてもべんりなように見えます。

でも考えてみてください。ネットからえるじょうほうのジャンルやないようが自分のこのみにかたよったものになり「ものの見方」「考え方」がとてもせまくなってしまいます。自分の考えとちがう意見やニュースにふれることがへってしまい、相手の話を聞くことが苦手になり、こうげきてき、ひはんてきになってしまったりすることも心配です。

みなさんは、これからせいちょうしていく上でさまざまなじょうほうにふれることになります。そのときには、ぜひ「ネットいがいのじょうほう」、テレビ、本、新聞などを活用して、はば広い意見やちがう考えを手に入れてください。そして、じょうほうをうたがってみたり、いろいろな方向から考えたりする力をのばしてください。

ネットは、上手く使えば少しの時間でいろいろなじょうほうやちしきが手に入るすばらしい道具です。そして、そのじょうほうやちしきをうまく活用するのは、あなた自身、人なのです。

AI（人工ちのう）もどんどんはってんして、近いしょうらいAIが人間のちのうをこえるとも言われています。でも、人間どうしのかんけい作りやゼロから新しいアイデアを生み出す力……人工ちのうにできないこと、人間にしかできないこともたくさんあるのです。

ネットやぎじゅつがどんどんしんぽする世界だからこそ「**人としてのやさしさ、ちしき、のう力**」を大事にのばしていってください。

## 大人の情報リテラシー

　視聴者の方々からテレビ局に寄せられるご意見、番組名がハッシュタグについたSNSでの声を見ていると、うれしいものを目にしやすくなった半面、偏った見方や捉え方、きれいとは言えない言葉遣いをされる方が増えてきたなぁと感じます。たとえば、自分の考えに合わない意見がテレビで流れるのは許せない、このゲストは○○だから出演させるなんておかしい、だからテレビは信じられない……といった類の声が多く届くようになりました。視聴者のみなさまの意見は、いわば社会の受けとめ方が可視化されたものであり、ネガティブなものであっても、番組作りで大いに参考になるものだと思います。

　ただこういった声を見る中で、ふと感じるのが「情報リテラシー」の力です。ネットやSNS上に大量にあふれる情報の中から、信用できて自分が「そうだ」と賛同できる情報源を見つけるのはたやすいことだと思います。しかしそこから先、信用できる根拠は何か（この情報源はどこからその情報を得ているのか）の確認、自分の考えと異なる意見や見解に耳を傾けること、それらを重ね合わせて情報を検証したり自分の考えをアップデートしたりすることの大事さが、まだ広まっていないのでは……とも思うのです。ともすれば異なる意見に対しての批判が過度に攻撃的・感情的になったり、主張を超えて自分の考えこそ正しいと固執しすぎたりする場面を見ることも少なくありません。それらは社会にとってプラスにならないですし、見ていて気持ちのいいものでもな

く建設的でもありません。

　私が報道番組を担当していたときに心がけていたのは「視聴者にとって『考えるきっかけ』になる材料を提示したい」という思いでした。「ウェークアップ！ぷらす」で展開した地方創生企画では、まだ社会にあまり知られていない地方での試みや課題を取材し提示して、新たな視点を知ってもらうこと、ご覧いただいている方の知識や価値観をアップデートしていただくことを目指していました。テレビメディアの重要な役割のひとつは、ここにあると思います。さまざまなゲストのさまざまな意見を提示することも、多角的な視点を示すという大事な狙いがあると思います。

　よくSNS上などでは「大事なニュースを伝えない」「意図的に情報操作している」とテレビを十把一絡げに批判する意見を目にします。そこにはいろいろな考えがあることは理解しつつ、事実関係が確認できない事象は報じることにテレビは慎重ですし、価値観や優先順位もみな同じではなく、番組によって提示している視点もさまざまです。

　本書は、そんな社会を生きる子どもたちに「情報を広く捉えて考える力」を育んでいただきたいという思いで書き進めました。ぜひ、大人のみなさんも「情報リテラシー」の力、SNSなどで見る情報だけに振り回されず、マスメディアが伝えることなど他の情報を重ね合わせて判断することを意識していただければと思います。

# おわりに

## さいごまでお読みいただき、
## ありがとうございました。

この本のタイトルにもなっている「コンプライアンス」という言葉について考えたことがあるでしょうか？complianceという英語を直やくすると「ほかの人の言うことやルールにしたがうこと」といった意味なのですが、日本社会ではおもに「ほうれいじゅんしゅ（法令遵守）」＝「ほうりつを守ること」として使われています。

でも守らなければいけないのは、ほうりつだけではないはずです。第2章でもお話ししましたが、ほうりつに書いていないけれど「人としてやってはいけないこと」がたくさんあります。自分ではやってはいけないことだと気づかないまま、人にめいわくをかけたり、自分があぶないことにまきこまれそうになったり、ほかの人をいけないことにさそいこんだり……ということだってあるかもしれません。だから私はこの本を書くにあたって、「コンプライアンス」とは「ほうりつを守る」だけではない「社会の規範（ルール）や倫理（人として正しいすじ道）も考えよう」という広い意味でお話ししてきました。

この「コンプライアンス」の考え方はとても大事なのですが、もうひとつおぼえておいてほしいのは、そういった「正しい」「良い」などと言われることであっても「ホントかな？」と考えてみることがこれから大事になる、ということです。

私が子どものころ、学校では先生の言うことを聞くこと、じゅぎょうで「おかしい！」などと言わないことが「正しい」と教わりました。走るのがとくいなことより勉強のせいせきがいいことが「大事」と言われました。大人は男性がはたらいてお金をかせぐ、女性が家の仕事をして子育てをすることが「ふつう」だとされてきました。でも、それらはもはや「正しい」「大事」「ふつう」ではなくなりました。「かちかん」は時代とともにかわるもの。だから、ほうりつも国会でぎろんをかさねてかえることができるのです。

　でも、「良い」「正しい」をうたがうためには、たくさんのちしきがひつようです。そして、そのちしきをえるためには、いろいろなじょうほうの中からせいかくでさんこうになるものをいくつもえらぶ力、それらをいろいろな方向から見くらべて考える力がひつようなのです。

　私はこの本を書くにあたってこの２つの思いを大切にしてきました。もしかしたら、まったくぎゃくのように聞こえるかもしれませんが、じつは人が人としてしんぽしていくうえで、同じ考え方の上にあると思うのです。

　みなさんは、これからせいちょうしてよりよい日本・世界を作る力となっていくことと思います。そんなみなさんのみらいの中で、この本で知ったことや考えたことがいつかどこかで役に立ち、生きる力になることをねがっています。


山本　一宗

# 子どもコンプライアンス

著者　山本一宗

令和5年　4月14日　初版発行

装丁　　森田直／佐藤桜弥子（FROG KING STUDIO）
イラスト　どんぐり。
校正　　株式会社東京出版サービスセンター
編集　　中野賢也（ワニブックス）

発行者　横内正昭
編集人　岩尾雅彦
発行所　株式会社ワニブックス
　　　　〒150-8482
　　　　東京都渋谷区恵比寿4-4-9えびす大黒ビル
　　　　ワニブックスHP　https://www.wani.co.jp/
　　　　（お問い合わせはメールで受け付けております。
　　　　HPより「お問い合わせ」へお進みください）
　　　　※内容によりましてはお答えできない場合がございます。

印刷所　株式会社 美松堂
DTP　　アクアスピリット
製本所　ナショナル製本